GUIDE POUR VIVRE EN BONNE SANTÉ

TOME III

Les Éditions du Méridien bénéficient du soutien financier du Conseil des arts du Canada pour son programme de publication.

LE CONSEIL DES ARTS | THE CANADA COUNCIL
DU CANADA | FOR THE ARTS
DEPUIS 1957 | SINCE 1957

DISTRIBUTEURS:

CANADA FRANCOPHONE:
MESSAGERIE ADP
955, rue Amherst
Montréal (Québec)
H2L 3K4

EUROPE ET AFRIQUE FRANCOPHONE:
ÉDITIONS BARTHOLOMÉ
16, rue Charles Steenebruggen
B-4020 Liège
Belgique

ISBN 2-89415-185-3

© Éditions du Méridien

Dépôt légal — Bibliothèque nationale du Québec, 1997
Imprimé au Canada

DR ROSEMONDE MANDEVILLE

GUIDE POUR VIVRE EN BONNE SANTÉ
TOME III

Table des matières

TOME 3
LA SANTÉ DE L'ADULTE :
PRÉVENIR LES MALADIES
DÉGÉNÉRATIVES

Introduction 1

CHAPITRE 1
Les maladies cardio-vasculaires 3

La santé du cœur 3

L'hypertension artérielle 4

L'athérosclérose 12

Les maladies cardiaques 18

    L'insuffisance cardiaque 18

    Les maladies ischémiques du myocarde 19

L'accident vasculaire cérébral (ou AVC) 28

CHAPITRE 2

Le cancer : une maladie quise prévient ! **41**

Les causes   42
L'ampleur du problème   49
Le diagnostic   53
La détection précoce et le dépistage systématique   55
   Le dépistage précoce des cancers gynécologiques   59
   La détection précoce du cancer du sein   63
   L'auto-examen des organes génitaux   68
   La dépistage du cancer colorectal   71
   La détection précoce du cancer de la prostate   74
   L'auto-examen des testicules   77
   Le frottis urinaire et le cancer de la vessie   79
   L'échoendoscopie et les cancers du tube digestif
      et du pancréas   79
   La détection précoce des cancers de la peau   80
   L'examen de la cavité buccale et des cordes vocales   84
Le traitement du cancer   85
   La chirurgie oncologique   87
   La radiothérapie   88
   Les médicaments antinéoplasiques   92
   La chimiothérapie   92
   L'hormonothérapie   103
   L'immunothérapie   105
   La greffe de moelle osseuse   106
   La thérapie génique   110
   Nouvelles avenues thérapeutiques   111
Le pronostic   112
La prévention primaire   113
   Pour éliminer la pollution chimique   114
   Pour réduire l'exposition aux irradiations :   116
   Une alimentation équilibrée et variée et
      la maîtrise de l'obésité   119
   L'importance d'une conduite sexuelle saine   121

Pour renforcer nos défenses anti-cancer 122
La chimioprévention des cancers 125
Survivre le cancer et prévoir demain 126
Concilier traitement et qualité de vie 127
Après le traitement la vie continue 130

CHAPITRE 3
Les troubles du système nerveux **133**

Le cerveau humain 133
Les traumatismes du cerveau 137
Les infections du système nerveux central 141
Les maladies dégénératives 144
La dépression : une maladie évitable 147
Le burnout ou syndrome d'épuisement professionnel . 159

CHAPITRE 4
La sexualité et la reproduction **165**

Maladies et dysfonctions de l'appareil reproducteur
de la femme 166
Le syndrome prémenstruel (SPM) 166
Les pertes blanches (leucorrhées) 172
L'endométriose 175
Le prolapsus de l'utérus 182
La dyspareunie : un sérieux problème sexuel 188
Maladies et dysfonctions de l'appareil reproducteur
de l'homme 192
Les lésions du pénis 192
Les tuméfactions scrotales 194
Les problèmes de la prostate 197
La contraception 202
Les méthodes de contraception à éviter 202
Les méthodes de contraception les plus utilisées 203

Les méthodes de contraception indiquées
    pour les adolescentes 214
Les méthodes de contraception adaptées à des situations
    particulières 215
Les méthodes de contraception à l'étude 217
Questions les plus courantes au sujet
    des contraceptifs oraux 218
La stérilité conjugale 223
La stérilité masculine 223
La stérilité féminine 225
Le traitement 228
L'insémination artificielle 228
La fécondation *in vitro* 229
Références 232

Introduction

Nous avons le privilège de faire partie de la première génération de l'histoire qui ne meurt pas de façon routinière de
maladies infectieuses ou de traumatismes. Les grandes épi-
démies de peste et de choléra, qui ont anéanti des populations entières au point de modifier le cours de l'histoire,
appartiennent maintenant au passé, et nous avons oublié les
maladies telles que le typhus ou le tétanos qui, pendant les
guerres, ont fait plus de victimes que les armes.
Aujourd'hui, dans la plupart des pays industrialisés, les
principales causes de morts prématurées chez l'adulte
demeurent les maladies cardio-vasculaires (41 %), le cancer (27 %) et l'accident vasculaire cérébral (7 %). Ces
« nouvelles » maladies sont d'autant plus graves qu'elles
menacent constamment notre qualité de vie et notre survie.
Elles font littéralement vieillir, ou dégénérer, notre corps.
En outre, dans un grand nombre de cas, la médecine s'avère
inapte à les guérir ; elle ne peut tout au plus que ralentir
l'échéance, de façon parfois significative.

La cause première de ces maladies graves réside essentiellement dans notre style de vie nord-américain (Tableau 1),
d'où l'importance de mettre l'accent sur les activités de

prévention, d'information et d'éducation, tant sur le plan individuel que collectif.

Nous aborderons donc dans ce chapitre les principales causes de morts prématurées chez l'adulte. Les maladies du système nerveux et du système reproducteur seront considérées dans une perspective de prévention, car, en mettant à profit les connaissances aujourd'hui disponibles, nous pouvons réduire considérablement les risques et guérir la grande majorité de ces maladies.

TABLEAU 1.
PRINCIPALES MALADIES CONSIDÉRÉES
COMME CAUSES DE MORTS PRÉMATURÉS

Principales maladies	Style de vie	Hérédité	Autres
Accidents cardio-vasculaires	63 %	25 %	12 %
Accidents vasculaires cérébraux	72 %	21 %	7 %
Cancers	61 %	29 %	10 %
Maladies du foie	79 %	18 %	3 %
Diabète	34 %	60 %	6 %

Les maladies cardio-vasculaires

LA SANTÉ DU CŒUR

Muscle grand comme un poing, le cœur est l'organe à la fois le plus résistant et le plus vulnérable du corps humain. Comparable à une pompe, il aspire le sang et le propulse dans l'organisme à une fréquence moyenne de 72 fois à la minute (c'est-à-dire près de 100 000 fois par jour et 40 millions de fois par année). Cette action continuelle fait circuler 5 l ou 6 l de sang à la minute, à travers quelques 113 000 km de vaisseaux sanguins, soit 13 fois la distance entre l'Est et l'Ouest du Canada.

Le pouls artériel, que l'on mesure en palpant l'artère radiale (au poignet), l'artère temporale (devant l'oreille) ou l'artère carotide (sur le cou), correspond aux battements cardiaques. Le rythme du pouls est un témoin fidèle de l'état des artères, de la circulation sanguine et de la qualité des battements cardiaques. Ce rythme varie selon l'âge et la condition physique (Tableau 2). Par exemple, les sportifs se distinguent par un pouls lent, puissant et régulier.

À chaque contraction, le sang est propulsé avec force contre la paroi des artères (**pression systolique**). Lorsque le cœur se relâche pour s'emplir à nouveau, la pression est minimale (**pression diastolique**). La pression sanguine moyenne est d'environ 120 sur 80 millimètres de mercure (mm Hg), le premier chiffre indiquant la pression systolique et le second la pression diastolique.

L'HYPERTENSION ARTÉRIELLE

Plus qu'une maladie, l'hypertension est un état de fond, à détecter et à bien surveiller. Sinon, elle peut avoir des conséquences graves sur tout le corps. Ce mal peut, en effet, évoluer longtemps sans trouble particulier. Bien au contraire, son insidieuse présence ne se traduit souvent que par un excès de vitalité et des apparences de santé. Mal trompeur entre tous, l'hypertension artérielle a pu être qualifiée de « tueur silencieux », tant ses méfaits, lorsqu'ils surviennent, risquent d'être d'emblée vitaux.

L'ampleur du problème

Au Canada, une personne sur cinq souffre d'hypertension, soit environ 3,5 millions d'individus, dont 700 000 au Québec. Elle frappe plus fréquemment l'homme que la femme, et le risque augmente à partir de la quarantaine ou en présence d'une histoire familiale d'hypertension. Si, dans beaucoup de cas, on ne peut identifier aucune cause évidente (hypertension dite « essentielle »), l'hypertension est généralement associée à une maladie du rein, une consommation

TABLEAU 2.
RYTHME DU POULS AU REPOS

	HOMMES			
	Excellent	Bon	Moyen	Mauvais
20-29 ans	59 ou moins	60-69	70-85	86 et plus
30-39 ans	63 ou moins	64-71	72-85	86 et plus
40-49 ans	65 ou moins	66-73	74-89	90 et plus
50 ans et plus	63 ou moins	68-75	76-89	90 et plus
	FEMMES			
	Excellent	Bon	Moyen	Mauvais
20-29 ans	71 ou moins	72-77	76-95	96 et plus
30-39 ans	71 ou moins	72-79	80-97	98 et plus
40-49 ans	73 ou moins	75-79	80-98	99 et plus
50 ans et plus	75 ou moins	77-83	84-102	103 et plus

excessive de tabac et d'alcool, une obésité, un diabète ou une contraception orale.

La Société canadienne de l'hypertension définit l'hypertension artérielle d'après certains critères précis

- À tout âge, une pression diastolique supérieure à 95 mm Hg.
- Chez les personnes de plus de 60 ans, une pression systolique supérieure à 160 mm Hg et une pression diastolique supérieure à 90 mm Hg.
- Au cours du premier examen, le médecin doit prendre au moins deux fois la pression du patient en installant celui-ci en position couchée, assise et debout.
- Une décision thérapeutique ne sera arrêtée qu'une fois cette procédure effectuée à des heures et dans des conditions identiques à celles de la prise initiale, et **au moins trois reprises** dans une période de six mois.
- La mise en évidence d'une hypertension artérielle impose par ailleurs un bilan complet des fonctions des différents organes – coeur, rein, rétine notamment – sur lesquels l'état hypertensif méconnu aurait pu retentir.

Le diagnostic

La mesure exacte de la tension artérielle au moyen du shyngmomanomètre au cabinet du médecin demeure la principale méthode de diagnostic car l'hypertension artérielle ne laisse souvent paraître aucun signe. On en découvre en général l'existence lors d'un examen de routine ou à l'occasion d'une simple grippe, mais bien souvent à la suite d'un de ces signes prémonitoires ayant conduit à consulter. Les symptômes témoignant d'une affection des vaisseaux d'ordre cérébral, cardiaque ou rénal constituent habituellement les signes les plus révélateurs. Les symptômes cérébraux comprennent les maux de tête (surtout pendant la deuxième moitié de la nuit ou au réveil), un déséquilibre s'accompagnant d'une sensation d'ébriété, la perte de mémoire, les troubles visuels (éblouissements, perte transitoire de la vue, etc.), une insensibilité des doigts ainsi que des fourmillements dans les extrémités. Les symptômes cardiaques (dyspnée, ou difficulté respiratoire, palpitations et angine de poitrine) et rénaux (polyurie, ou sécrétion excessive d'urine) sont plus rarement révélateurs puisqu'ils peuvent signaler la présence d'autres maladies.

Le traitement

Il existe à l'heure actuelle trois approches visant à maîtriser l'hypertension artérielle et à prévenir ou corriger l'atteinte des organes cibles (accident vasculaire cérébral, crise et défaillance cardiaque, insuffisance rénale) : l'approche hygiéno-diététique, l'approche médicamenteuse et l'approche alternative.

L'approche hygiéno-diététique est considérée comme une bonne base de départ, particulièrement en cas d'hypertension non compliquée et modérée. Cette approche implique :

• Le maintien du poids-santé, surtout en cas de diabète, d'obésité ou d'hyperlipidémie (taux élevé de lipoprotéines de basse densité, ou mauvais cholestérol ; faible taux de lipoprotéines de haute densité, ou bon cholestérol ; et taux élevé de triglycérides, une graisse de réserve dérivée des sucres).

- Une réduction de la consommation de matières grasses d'origine animale, de lait entier, de farine blanche et de sucre raffiné au profit de la volaille, du poisson, du lait écrémé, des céréales entières, des fruits et des légumes riches en fibres, tout particulièrement le céleri. Les fruits contiennent aussi beaucoup de potassium et celui-ci participe à la stabilisation de la pression sanguine.

- La restriction sodée, notamment chez les sujets sensibles au sodium. Cette restriction n'inclue pas seulement le sel (moins de deux g/jour) et les aliments en conserve (hareng, charcuterie, bœuf salé, anchois, olives, sardines, légumes en conserve, etc.), mais aussi, le bacon, la margarine et le beurre salé, les assaisonnements, les condiments (sel d'ail, sel d'oignon, ketchup, moutarde sèche, sauce Tabasco) et les friandises salées (croustilles, noix, graines, craquelins, etc.).

- L'accroissement de l'activité physique, notamment l'exercice aérobique qui réduit la tension artérielle systolique et diastolique en moyenne de 10 mm Hg. La randonnée pédestre, la marche rapide, la natation, le ski de fond, le cyclisme, le raquetball et le squash font partie des exercices recommandés.

- La modération dans la consommation d'alcool à moins de deux verres par jour. L'alcool stimule l'activité cérébrale et fait monter le taux d'adrénaline dans l'organisme, entraînant une accélération du rythme cardiaque et une augmentation de la pression sanguine.

- L'adoption d'un mode de vie sain qui exclut autant que possible le surmenage, les abus, les veilles, etc. La maîtrise du stress psychologique s'avère essentielle ; choisissez, parmi les diverses techniques d'imagerie mentale (*biofeedback*), de relaxation, de visualisation, de méditation et de massothérapie, celle qui vous convient le mieux.

- L'abandon du tabagisme.
- La diminution de la consommation de caféine à un maximum de quatre boissons par jour (café, thé, chocolat, cola).

L'approche médicamenteuse représente une autre avenue thérapeutique lorsque les mesures simples ne parviennent pas à réduire l'hypertension artérielle. Tout une gamme d'agents antihypertenseurs ont été introduits à titre de traitement d'appoint : diurétiques, bêtabloquants, inhibiteurs calciques, inhibiteurs de l'enzyme de conversion de l'angiotensine. Ces médicaments sont en général administrés de façon progressive, c'est-à-dire qu'il faut prescrire la dose maximale d'un médicament à chaque étape avant d'ajouter l'agent de l'étape suivante pour atteindre l'objectif du traitement : juguler l'hypertension artérielle. Toutefois, **le traitement antihypertenseur n'est efficace que pendant sa durée** ; dès qu'il est interrompu, l'hypertension réapparaît. Le choix du médicament est guidé par l'âge et la race du patient, par les maladies associées ou par les contre-indications relativement à certains produits. Lorsque l'hypertension artérielle se présente sous une forme sévère ou résistante, l'association de trois ou quatre agents peut s'avérer nécessaire.

Soulignons cependant que tous ces médicaments sont associés à des effets secondaires fort désagréables (fatigue, sécheresse de la bouche, vue brouillée, perturbation du goût, impuissance, etc.). L'hypertension figure parmi les problèmes de santé qui requièrent un suivi assidu et un contrôle régulier. **Conservez en tout temps la liste des médicaments que vous prenez**. Il faut consulter votre médecin ou votre pharmacien avant de prendre des médicaments en vente libre car ceux-ci peuvent interagir avec les antihypertenseurs. Faites part de tout effet secondaire à votre médecin.

Enfin, l'approche alternative peut se révéler d'un grand secours dans la maîtrise de l'hypertension.

- En oligothérapie, l'association **manganèse/cobalt** constitue la base du traitement en raison de son effet vasodilatateur. Le **lithium** agit comme un anxiolytique naturel aidant le sujet à mieux gérer son stress. L'**iode** et l'association **zinc/cuivre** ont une action régulatrice sur le système hormonal, laquelle se révèle efficace surtout chez les femmes. Enfin, les hypertendus dépressifs se voient fréquemment prescrire le complexe **cuivre/or/argent.**

- L'homéopathie s'applique surtout aux hypertensions légères et débutantes. En effet, la médecine infinitésimale aide l'hypertendu à maîtriser certains mécanismes de comportement qui sont à l'origine de l'hypertension artérielle. De plus, un traitement homéopathique bien choisi peut nettoyer l'organisme et l'aider à mieux tolérer les traitements médicamenteux en éliminant les effets secondaires.

- L'acupuncture agit de diverses manières pour soulager l'hypertension artérielle. En stimulant certaines fonctions physiologiques qui calment la douleur et en en dispersant d'autres qui contribuent au stress, elle assure le rééquilibrage énergétique. En restaurant l'équilibre, en permettant à l'individu d'évacuer son stress, l'acupuncture l'aide à devenir plus serein et à s'adapter plus facilement aux situations. L'acupuncture traditionnelle peut par ailleurs agir directement sur certains points précis du corps ayant un lien avec le cœur et les artères.

La prévention

Savoir en déceler les premiers signes et se traiter avec efficacité ; questions essentielles dans ce domaine. En effet, le dépistage de l'hypertension chez les jeunes adultes et les personnes d'âge mur est un la mesure préventive la plus efficace. Par conséquent, la mesure de la tension artérielle dans le cabinet du clinicien ou bien aussi chez soi doit devenir un automatisme. Ce geste élémentaire que vous pouvez accomplir vous-même ne prend que quelques minutes. Il vous suffit de vous procurer un stéthoscope et un sphygmomanomètre (en vente dans toutes les pharmacies). Que

---

Quelques lignes directives concernant l'utilisation d'un sphygmomanomètre

- Choisir un brassard de dimensions appropriées (le sac de caoutchouc doit enserrer au moins les deux tiers de la circonférence du bras);
- Mesurer la tension artérielle après une période de repos de cinq minutes, sur le bras nu posé sur un support au niveau du coeur;
- Procéder au dépistage ou au diagnostic lorsque vous êtes assis;
- Si le diagnostic d'hypertension est confirmé, il faut alors mesurer la tension debout ou couché;
- Il ne faut pas avoir fumé, ni consommé de caféine dans les trente minutes qui précèdent la mesure de la tension artérielle;
- Il faut faire la moyenne d'au moins deux mesures ; si la différence entre les deux premières mesures est supérieure à 5 mm Hg, il faut prendre des mesures supplémentaires.

vous soyez sous médication ou que vous contrôliez par d'autres moyens votre hypertension, apprenez à vérifier votre pression artérielle régulièrement (au moins une fois par année).

L'importante diminution des accidents vasculaires cérébraux, enregistrée au cours des dernières années, est essentiellement attribuable à l'identification précoce, au traitement adéquat et à la prévention des complications de l'hypertension artérielle.

L'ATHÉROSCLÉROSE

L'athérosclérose est une variété de la sclérose artérielle qui atteint surtout les grosses et les moyennes artères dont elle peut provoquer l'obstruction. Cette maladie tire son nom des dépôts lipidiques (athéromes) qui se logent dans la paroi vasculaire, provoquant le rétrécissement lent et progressif du calibre des artères (Figure 1).

• La première lésion à apparaître est la **strie graisseuse** qui se dépose dans la tunique interne d'une artère. Il semblerait que les radicaux libres sont la cause première de l'attraction des macrophages. En effet, les particules de LDL (lipoprotéines à faible densité) oxydées par les radicaux libres sont de ligands pour des récepteurs spécifiques des macrophages. Lorsque ces macrophages reconnaissent le LDL oxydées elles se transforment en cellules spumeuses chargée de cholestérol responsables des premières lésions athérosclérotiques aussi appelées stries graisseuses.

• La strie graisseuse évolue pour devenir une **plaque fibreuse** composée notamment de dépôts de cholestérol, de substances graisseuses, de tissu fibreux, d'amas de

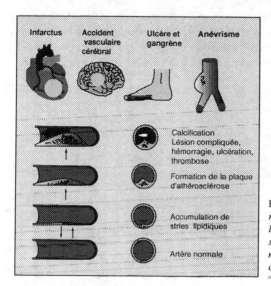

Figure 1. *Histoire naturelle des lésions d'athérosclérose et leurs manifestations cliniques*

plaquettes sanguines (minuscules cellules qui interviennent dans la coagulation du sang) et de calcium. Ces lésions provoquent un épaississement des parois artérielles, qui entraîne à son tour un rétrécissement du calibre des artères. Il s'ensuit une réduction de l'apport sanguin aux organes : artères du cœur (athérome coronarien), aorte (athérome aortique) ou cerveau (athérome carotidien).

- Dans certains cas, la plaque d'athérosclérose croît lentement au fil des années et finit par produire une **sténose grave ou une occlusion totale de l'artère.** Avec le temps, elle peut se calcifier, se fissurer ou se rompre spontanément, dispersant son contenu dans le flux sanguin. La plaque ulcérée favorise la **thrombose**, et les thrombus peuvent à leur tour susciter des **embolies**, bloquer rapidement ou graduellement l'artère et s'incorporer à la plaque, augmentant ainsi son volume et contribuant à ses propriétés occlusives (Figure 1).

Les causes

On ne connaît pas toutes les causes de l'athérosclérose, mais l'on sait que certains facteurs de risque peuvent être modifiés et d'autres non.

Les facteurs de risque **non modifiables** incluent : premièrement, une histoire familiale d'hyperlipidémie ou de maladie cardio-vasculaire précoce (avant 65 ans chez le père ou la mère) ; deuxièmement, l'âge, car le risque d'athérosclérose s'accroît avec le temps ; et troisièmement, le sexe : il est prouvé que les femmes souffrent autant d'athérosclérose que les hommes, mais avec un retard d'environ 10 ans. De plus, une femme qui est victime d'une crise cardiaque court un plus grand risque d'en mourir ou d'être frappée une seconde fois. Parmi les facteurs de risque **modifiables**, certains sont le résultat de mauvaises habitudes de vie ; les trois plus importants sont le tabagisme, l'hypertension artérielle et l'hyperlipidémie. Notons par ailleurs que la présence simultanée de plusieurs facteurs multiplie le risque (Figure 2).

Parmi les facteurs de risque modifiables qui jouent un rôle important dans le développement de l'athérosclérose, il faut mentionner aussi la sédentarité, l'obésité (plus particulièrement celle concentrée au niveau de l'abdomen), un régime alimentaire riche en matières grasses, une consommation abusive d'alcool (trois verres ou plus par jour), un

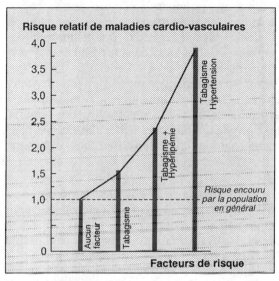

Figure 2. *Apport cumulatif des trois facteurs de risque les plus importants concernant l'athérosclérose*

diabète mal soigné et le stress psychologique, également considéré comme un facteur d'accélération de la maladie.

Les manifestations cliniques

L'athérosclérose reste cliniquement silencieuse jusqu'à ce que la lésion artérielle soit suffisamment importante pour gêner le passage du sang. Initialement, les symptômes sont reliés à l'incapacité du débit sanguin à augmenter en fonction de la demande : premièrement, l'angine est causée par la réduction de l'apport sanguin au myocarde ; deuxièmement, les sténoses des artères irriguant le cerveau sont responsables d'accès de vertiges et de troubles de la vision ; troisièmement, l'atteinte des vaisseaux qui sillonnent les extrémités entraîne des douleurs dans les jambes à la marche, qui sont calmées par le repos. Cependant, lorsqu'une grosse artère est sérieusement obstruée, la symptomatologie prend alors un caractère dramatique pouvant se traduire par un arrêt cardiaque ou un accident vasculaire cérébral. Les troubles spécifiques associés à l'occlusion complète des artères seront abordés un peu plus loin dans ce chapitre.

Le traitement

Le traitement médicamenteux de l'athérosclérose demeure limité. On prescrit dans certains cas un anticoagulant pour prévenir les thromboses. La majorité des études confirment que le contrôle de l'hyperlipidémie[1] constitue une mesure essentielle qui doit s'inscrire dans une approche globale de la maladie : abandon du tabagisme et contrôle de l'hypertension, régime alimentaire équilibré et varié et maîtrise du stress émotionnel. La prescription d'un hypolipémiant est justifiée pour les personnes qui ne réagissent pas à l'approche hygiéno-diététique. Toutefois, seulement de 10 % à 15 % des patients voient leur taux de cholestérol diminuer ; dans 43 % des cas, on note également un ralentissement de la progression des plaques d'athérosclérose. Il existe plusieurs types d'hypolipémiant dont la majorité sont malheureusement associés à des effets secondaires indésirables, notamment un goût désagréable, des troubles gastro-intestinaux, des démangeaisons et de fortes bouffées de chaleur. Les hypolipémiants, particulièrement les fibrates, peuvent être liés à l'absence d'érection.

La détection précoce repose notamment sur l'épreuve d'effort (tapis roulant) imposée au patient, laquelle

demeure le meilleur outil pour dépister l'insuffisance cardiaque silencieuse (Figure 3). Ce dépistage s'adresse surtout aux hypertendus qui sont obèses, qui fument trop, qui
souffrent d'hyperlipidémie ou qui présentent une histoire
familiale de maladie cardio-vasculaire.

La prévention

Selon certaines expérimentations, il semble que les
antioxydants protègent les cellules de la destruction. La
vitamine E, liposoluble, est capable de briser la réaction en
chaîne de peroxydation des lipides en réduisant les radicaux libres intracellulaires qui sont produits pendant cette
réaction.

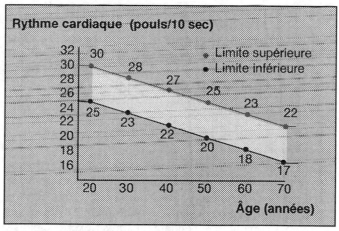

Figure 3. *Principe de la zone du rythme cardiaque de travail visée
(pouls par 10 secondes) selon l'âge*

LES MALADIES CARDIAQUES

Chez l'adulte, l'insuffisance cardiaque et les maladies ischémiques du myocarde constituent les principales maladies du cœur.

L'insuffisance cardiaque

L'insuffisance cardiaque est un syndrome clinique qui reflète une réduction de la force de contraction du muscle cardiaque. En d'autres termes, le cœur est incapable d'assumer tant sa fonction de pompe que la propulsion du sang vers les poumons et les extrémités. Bien que cette maladie soit considérée comme sérieuse, elle se soigne bien et n'exclut pas de longues années de survie.

Les causes

À la base de toute forme d'insuffisance cardiaque, il existe une perte substantielle de fibres musculaires cardiaques. L'insuffisance cardiaque peut être provoquée par une vaste gamme de troubles touchant le muscle cardiaque lui-même (maladies des valves du cœur, arythmies, maladies ischémiques, etc.) ou par des états cliniques associés à de hauts débits sanguins (hypertension, anémie, grossesse, emphysème, insuffisance hépatique, etc.).

Les symptômes

Ce syndrome s'accompagne souvent de signes de congestion veineuse systémique ou pulmonaire, par exemple la fatigue et les dyspnées (difficultés respiratoires dues à l'accumulation de liquide dans les poumons). Au début, ces symptômes apparaissent pendant ou après l'exercice physique, puis ils s'intensifient graduellement pour finalement persister même lorsque le patient est au repos, forçant celui-ci à dormir assis dans son lit pour mieux respirer. Une crise de dyspnée aiguë, une respiration bruyante et des sueurs le tirent parfois de son sommeil. Ces crises nécessitent un traitement d'urgence. L'œdème des chevilles et des jambes s'accompagne d'une augmentation du volume du foie (hypertrophie) et d'une congestion des intestins. La cyanose (coloration bleuâtre de la peau et des muqueuses) indique aussi une insuffisance cardiaque.

Le traitement

Le traitement implique le repos, l'oxygénothérapie, l'atténuation des troubles du rythme, et l'amélioration des contractions cardiaques (par l'administration de digoxine comme Lanoxin ou Novodigoxin) et de la sécrétion urinaire (diurétique comme un thiazidique dans les cas d'insuffisance légère ou un flurosémide dans les cas plus sérieux). À moins de contre-indications, tout patient souffrant de défaillance cardiaque devrait être anticoagulé ; les anticoagulants préviennent souvent la formation de caillots. En cas de dyspnée, un diurétique aidera le patient à lutter contre la surcharge vasculaire pulmonaire et les œdèmes. Même dans les cas les plus urgents, il importe de déterminer avec précision la cause de l'insuffisance cardiaque, d'identifier les affections curables et d'éliminer les facteurs favorisants. La réduction de la consommation d'aliments salés et saumurés représente un aspect crucial, pourtant souvent négligé, du traitement de l'insuffisance cardiaque ; cette négligence explique dans bon nombre de cas l'échec du traitement.

Les maladies ischémiques du myocarde

La plupart des maladies ischémiques du myocarde sont la manifestation clinique de l'athérosclérose des artères de gros et moyen calibre, appelées artères coronaires, qui irriguent le cœur.

Lorsque l'athérosclérose durcit les parois de ces artères, qui en perdent leur souplesse, le travail du cœur se fait de plus en plus laborieux. Tout effort physique ou mental devient source de fatigue et d'épuisement. On parle alors d'**angine de poitrine à l'effort**. Déclenchée de façon caractéristique par l'activité physique, cette douleur, qui disparaît au repos, dure rarement plus de quelques minutes. Par la suite, les épisodes d'inconfort ou d'oppression se font de plus en plus présents, même spontanément au repos. On est alors en présence d'**angine de poitrine chronique**.

Si l'obstruction entrave brutalement et totalement le débit sanguin vers le cœur, on parle alors d'**infarctus du myocarde ou crise cardiaque**. L'importance des séquelles dépendra essentiellement du site de l'obstruction, de l'ampleur de la crise (c'est-à-dire la quantité de tissu cardiaque touchée) et de la vitesse à laquelle seront administrés les médicaments thrombolytiques (par exemple, la streptokinase). Lorsque l'obstruction touche l'extrémité distale de l'artère coronaire, les dommages sont moins importants. Par contre, si l'obstruction se situe à l'extrémité proximale, elle peut entraîner une mort subite (en quelques heures) puisque la région de tissu privée d'oxygène est plus étendue (Figure 4).

Le diagnostic

Le diagnostic d'**angine de poitrine** se fonde sur la gêne thoracique caractéristique déclenchée par l'effort et soulagée par le repos. Il peut être confirmé par l'électrocardiogramme, qui montre alors des signes d'ischémie réversible au cours d'une crise spontanée, ou par un essai d'adminis-

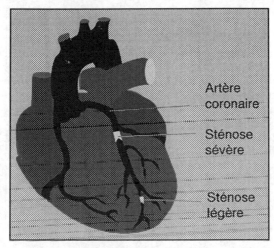

Figure 4. *L'ampleur de la crise dépend essentiellement du site du blocage.*

tration sublinguale de nitroglycérine qui, typiquement, soulage la douleur en une à trois minutes. Les épreuves d'effort ou d'imageries par isotopes radioactifs pendant l'effort ou après le repos confirmeront la présence de l'ischémie.

Dans le cas d'une **crise cardiaque**, le patient en ressent les signes avant-coureurs quelques jours ou quelques semaines avant l'accident dans environ les deux tiers des cas. Ces signes parfois intermittents et de faible intensité peuvent également être d'intensité croissante. Aussi faut-il apprendre à les distinguer pour agir immédiatement dès le premier indice.

Pendant une **crise cardiaque**, le patient est habituellement agité, anxieux, pâle, couvert de sueur; il souffre d'une

21

Les signes les plus courants d'une crise cardiaque

♦ **Une douleur** souvent caractéristique, tant par sa nature (sensation d'oppression ou d'étouffement, de lourdeur ou de brûlure), que par sa localisation (centre ou partie supérieure de la poitrine) et son irradiation vers le dos, la mâchoire ou le bras gauche (plus souvent que le droit).

♦ **L'essoufflement** s'accompagnant d'une pâleur excessive ou d'une transpiration abondante qui persiste chez un patient angineux, ou la présence de nausées, de vomissements ou d'indigestion sans aucune cause apparente.

♦ **Le sentiment de mort imminente** et le refus d'admettre la réalité.

douleur intense réfractaire à la pilule de nitroglycérine. Sa peau est souvent froide, son pouls filant et sa pression artérielle variable. Dans 60 % des cas d'infarctus du myocarde mortels, le décès est imputable à une fibrillation ventriculaire (contractions cardiaques rapides, irrégulières et totalement inefficaces dues à des contractions anarchiques des ventricules). L'électrocardiogramme montre de profondes ondes de nécrose. Le taux de certaines enzymes dans le sang (la CK-MB, enzyme myocardique) permet de confirmer le diagnostic et de suivre l'évolution de la maladie.

Le traitement

Le traitement vise à soulager la douleur et l'anxiété du patient, à limiter la taille de la nécrose myocardique et à prévenir les complications éventuelles. L'infarctus du myocarde constitue une urgence médicale qui exige un diagnostic et un traitement rapides.

Le traitement **préhospitalier** revêt ici une importance capitale, car plus de 50 % des décès surviennent dans les trois ou quatre heures suivant l'apparition des signes cliniques. L'hospitalisation la plus rapide possible dans une unité de soins intensifs s'avère donc vitale. Si le diagnostic est évident et qu'on ne relève aucune contre-indication, on administre immédiatement au patient un comprimé d'aspirine (325 mg) à mâcher, une dose initiale d'un agent thrombolytique et, selon la recommandation de plusieurs experts, un bêtabloquant en injection intraveineuse.

Dès que l'état du patient est stable, on le transfert dans une unité de soins intensifs coronariens où il est placé sous surveillance continue. L'équipe médicale prend toutes les mesures nécessaires pour assurer son repos, surveiller étroitement l'apparition de troubles du rythme cardiaque, diminuer le travail du cœur, prévenir l'extension de l'ischémie et détecter rapidement l'insuffisance cardiaque, cela afin d'administrer rapidement un diurétique et de traiter l'hypotension ou le choc à l'aide de médicaments appropriés.

On fait appel à des **vasodilatateurs** (nitroglycérine sous forme intraveineuse pendant les premières 24 à 48 heures) pour détendre les muscles entourant les vaisseaux sanguins et réduire ainsi la charge cardiaque. On diminue aussi la fréquence et la contractilité cardiaques à l'aide de bêtabloquants (l'aténolol ou le métoprolol). Ces mesures visent à limiter l'ampleur de l'infarctus.

Plusieurs grandes études cliniques portant sur des sujets choisis au hasard (dites « randomisées ») ont démontré que l'administration intraveineuse de **thrombolytiques** pendant la phase aiguë de l'infarctus du myocarde libère le vaisseau bloqué et diminue le taux de mortalité à l'hôpital de 30 % à 50 %, particulièrement lorsque le médicament est administré dans les six premières heures. Plusieurs thrombolytiques sont maintenant disponibles, mais la **streptokinase** et l'**altéplase** servent à dissoudre les caillots déjà formés et peuvent être administrés directement dans le vaisseau bloqué. Le risque principal associé à ce traitement est l'hémorragie. Les contre-indications comprennent les interventions chirurgicales thoraciques ou abdominales effectuées au cours du mois précédent, les hémorragies gastro-intestinales, les traumatismes crâniens et l'accident vasculaire cérébral.

Plusieurs spécialistes recommandent les **anticoagulants**, comme l'**héparine** ou la warfarine en injection intraveineuse rapide, suivie d'une perfusion constante de 1 000 à 2 000 unités/ heure, afin de dissoudre les caillots formés.

Administré à fortes doses par voie intraveineuse, le **magnésium** semble réduire de moitié le risque de mourir d'un infarctus du myocarde. C'est du moins la conclusion de sept études réalisées en double aveugle à l'Université de l'Alberta sur 657 victimes : seulement 3,8 % des personnes ayant reçu du magnésium sont décédées dans les trois semaines ayant suivi une crise cardiaque, alors que 8,2 % des 644 sujets traités par un placebo ont subi le même sort.

L'angioplastie a augmenté l'espérance de vie des individus aux prises avec une obstruction sévère des artères coronaires et a remplacé avantageusement les pontages aortocoronariens dans plus de 50 % des cas. Cette intervention chirurgicale consiste à introduire dans le système circulatoire un tube fin et flexible muni, à son extrémité, d'un minuscule ballonnet gonflable. Une fois sur le site de l'obstruction, on gonfle le ballon pour écraser la plaque d'athérosclérose contre les parois de l'artère et rétablir ainsi le libre passage du sang (Figure 5).

L'intervention, pratiquée sous simple sédation, dure de 20 à 40 minutes. Le patient peut se déplacer dès le lendemain et retourner au travail au plus tard une semaine après l'opération. Bien que l'angioplastie s'avère efficace dans 80 % des cas, la récidive (reblocage des artères) qui lui est associée représente un inconvénient majeur. En effet, environ 20 % des artères dilatées se rebouchent dans les six mois qui suivent, ce qui contraint le patient à subir une deuxième intervention. Celle-ci est habituellement, tout comme la première intervention, couronnée de succès.

Le pontage coronarien est recommandé surtout aux jeunes patients souffrant d'une angine de poitrine réfractaire au traitement médical et caractérisée par une obstruction importante (par exemple, lorsque plus de trois vaisseaux

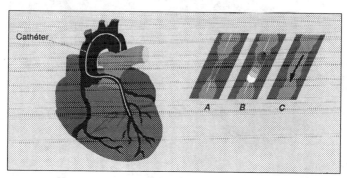

Figure 5. *L'angioplastie, une technique fiable et pratiquement sans danger. L'introduction du acthéter jusqu'au site de blocage (A) est suivie de l'inflation du ballon (B). Cette technique rétablit la circulation normale du sang dans les artère coronaires (C).*

sont atteints ou que le blocage se situe au niveau du tronc commun des artères). Il s'agit alors de mettre en place sur l'artère coronaire un greffon (on peut utiliser une partie de l'artère mammaire) pour contourner l'obstacle formé par la plaque d'athérome (Figure 6).

L'installation de ce pont permet de rétablir l'irrigation normale du cœur. À la suite d'un pontage, on note une amélioration de l'état chez 80 % à 90 % des patients durant la première année postopératoire, et 75 % d'entre eux sont entièrement soulagés. Les récidives ne surviennent que dans 2 % à 10 % des cas, dans les trois à cinq années suivant l'intervention. Les complications mortelles restent relativement rares, touchant 1 % des jeunes et de 5 % à 10 % des patients âgés. La complication la plus fréquente demeure l'infarctus en cours d'opération, qui survient dans 10 % à 15 % des cas.

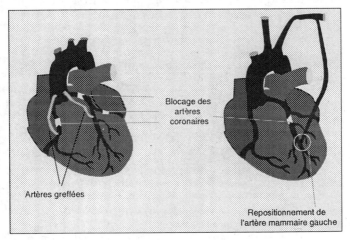

Figure 6. *Le pontage coronarien*

La première **transplantation cardiaque** a été réalisée en 1967 par le docteur C. Barnard, en Afrique du Sud. Au Québec, on n'a commencé à pratiquer cette intervention des plus délicates qu'en 1982. Le principe en est fort simple, mais les rejets après transplantation constituent une menace sérieuse au succès de l'intervention. Aujourd'hui, 90 % des transplantés cardiaques survivent à l'opération (la survie moyenne est de 13 ans) grâce à la suppression des défenses immunitaires de l'organisme par la cyclosporine (découverte en 1980) ou par la FK 506 (découverte en 1984).

Toutes les enquêtes indiquent que la qualité de vie du patient s'améliore considérablement à la suite d'une transplantation cardiaque. Cette avenue curative souffre toutefois d'un manque important de donneurs, aussi considère-t-on les xénogreffes (singes, notamment le babouin, et porc) et le cœur artificiel comme des alternatives intéressantes dans l'attente d'un donneur humain.

Pour la réintégration d'une vie active complète
La réhabilitation cardiaque est un concept global qui sous-tend un changement radical dans les habitudes de vie afin d'éliminer les facteurs de risque (tabagisme, hypertension artérielle, hyperlipidémie). On estime que le patient qui continue de fumer après une crise cardiaque **double** le risque d'un nouvel infarctus ou d'une mortalité cardio-vasculaire. L'abandon du tabagisme représente donc l'un des moyens les plus efficaces pour réduire le risque de récidive. Un programme d'exercice parfaitement adapté à l'état du patient accroît par ailleurs sa tolérance à l'effort, atténue les symptômes d'angine et améliore la qualité de vie, contribuant ainsi à la stabilisation et, éventuellement, à la régression de la maladie coronarienne et entraînant de la sorte une diminution de la mortalité post-infarctus.

Le retour au travail se fera graduellement et le moment sera déterminé par le résultat de l'épreuve à l'effort maximal et par le type de travail. Environ 60 % des patients ayant subi un infarctus du myocarde non compliqué reprennent leur travail après un an, un taux qui chute à 30 % chez les individus ayant rencontré des complications.

Dans ce contexte, le retour à une activité sexuelle normale est possible dès que la personne réussit à monter deux étages sans s'essouffler ou à marcher l'équivalent d'un pâté de maisons sans inconfort apparent. Le patient y parvient habituellement deux ou trois semaines après son retour à la maison. Toutefois, reprendre une vie sexuelle normale relève d'un certain nombre de facteurs avec lesquels le patient doit composer : Premièrement, certains médicaments (antihypertenseurs, hypolipémiants, antidépresseurs, tranquillisants, bêtabloquants) peuvent entraîner une impuissance passagère. Le médecin soignant pourra alors diminuer la dose ou prescrire un autre médicament ; deuxièmement le patient doit se sentir prêt psychologiquement et ouvert à la discussion sur le retour à une vie sexuelle active avec son ou sa partenaire. On recommande par ailleurs que la relation sexuelle ne suive pas de trop près un repas copieux, la consommation d'alcool ou un bain trop chaud (sauna ou bain tourbillon) ou trop froid ; troisièmement, on suggère au patient de prendre un comprimé de nitroglycérine immédiatement avant ou pendant le rapport sexuel, en guise de prévention ; finalement, une consultation régulière reste de mise.

L'ACCIDENT VASCULAIRE CÉRÉBRAL (OU AVC)

Dans les pays occidentaux, les accidents vasculaires cérébraux représentent la cause la plus fréquente de mortalité et d'invalidité d'origine neurologique. Bien que plusieurs facteurs augmentent le risque d'accident vasculaire cérébral, les deux principaux sont l'hypertension, qui a pour effet d'affaiblir les parois des artères, et l'athérosclérose, qui provoque un rétrécissement des artères.

Les causes

Normalement, le cerveau est irrigué grâce à un système efficace de circulation collatérale. L'interruption intra- ou extracrânienne de cette circulation sanguine peut résulter en une ischémie cérébrale. On distingue trois types d'accident vasculaire cérébral (Figure 7): premièrement, l'athérome, qui est à l'origine de la plupart des thromboses, peut toucher n'importe laquelle des grosses artères cérébrales. Toutefois, la majorité des lésions athéromateuses sont extracrâniennes, gagnant les artères carotides au niveau de la bifurcation en carotide externe (artères qui irriguent la face et le cuir chevelu) et en carotide interne (artères qui

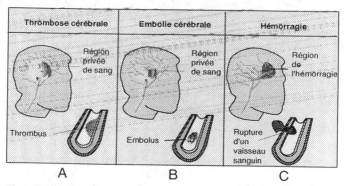

Figure 7. *Les différents types d'accident vasculaire cérébral (AVC)*

irriguent le cerveau). En effet, à cet emplacement, le flux sanguin s'accélère, usant et déchirant au fil des ans la membrane interne de l'artère. Deuxièmement, les embolies cérébrales découlent habituellement d'une plaque d'athérome située dans la paroi des grosses artères ou de caillots consécutifs à un infarctus ; et troisièmement, l'hémorragie implique quant à elle la rupture d'un vaisseau sanguin ou d'un anévrisme congénital.

Le diagnostic
Les signes d'un accident vasculaire cérébral apparaissent habituellement brusquement, par exemple sous les traits d'une hémorragie cérébrale, la forme la plus dramatique. Les symptômes et les séquelles (Figure 8) de l'accident

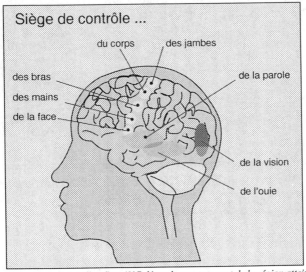

Figure 8. *Les séquelles d'un AVC dépendent notamment de la région atteinte.*

vasculaire cérébral dépendent de la localisation (région du cerveau lésée), de la cause et de l'étendue de l'atteinte. Si le débit sanguin est rapidement rétabli, les tissus cérébraux récupèrent et les symptômes disparaissent. Par contre, si l'ischémie persiste au-delà de quelques minutes, l'infarctus qui survient produit une lésion neurologique définitive.

Les signes avant-coureurs d'un AVC

Si la majorité des accidents de ce type surviennent brusquement (en quelques minutes ou quelques heures) ; certains se manifestent de façon très graduelle. Une attaque légère peut causer des maux de tête et une perte d'équilibre, des étourdissements et un état confusionnel, des troubles visuels ou auditifs, des troubles de l'élocution ou aphasie (perte de la parole) et, enfin, des difficultés de déglutition.

L'accident grave mène souvent à un déficit moteur ou à une paralysie d'un seul côté (hémiplégie), et, dans plus de 40 % des cas, il entraîne une mort instantanée. L'accident vasculaire cérébral, qui survient le plus souvent après 60 ans, peut être aggravé par la présence d'hypertension, de diabète et de maladies cardio-vasculaires. Par exemple, chez un fumeur invétéré, un violent mal de tête, localisé et persistant, peut être le signe d'une embolie cérébrale, un état qui commande une consultation d'urgence.

Le traitement

Les soins immédiats

Les soins immédiats à prodiguer à un patient comateux incluent le maintien du dégagement des voies respiratoires, une oxygénation suffisante, des perfusions intraveineuses pour assurer l'apport nutritionnel et liquidien, ainsi que la surveillance de la diurèse (élimination de l'urine) et du transit intestinal. **Les corticostéroïdes se révèlent parfois nuisibles**, et les barbituriques et autres sédatifs sont contre-indiqués, car ils augmentent le risque de dépression respiratoire et de pneumonie secondaire. Un programme de rééducation passive, en particulier au niveau des membres paralysés, et, si possible, une kinésithérapie respiratoire doivent être rapidement mis en œuvre.

La chirurgie vasculaire ne paraît indiquée ni en situation d'urgence ni en cas d'hémiplégie complète lorsque l'athérosclérose est diffuse. Par contre, elle s'avère très efficace (dans 70 % à 99 % des cas) pour la prévention des récidives chez les patients présentant une sténose carotidienne très serrée.

La rééducation et les soins ultérieurs

Des bilans précoces et répétés de l'état du patient, dressés par le médecin traitant, le kinésithérapeute et le personnel soignant, permettent d'établir un programme de rééducation approprié qu'il n'est pas nécessaire d'élaborer outre mesure. La rééducation sera favorisée par le jeune âge du patient, un déficit sensitif et moteur limité, l'intégrité de la fonction mentale et un milieu familial compréhensif et secourable.

Le traitement précoce et un soutien de tous les instants apparaissent ainsi comme des facteurs clés du rétablissement du patient. L'entourage de celui-ci doit être adéquatement informé de la nature de ses handicaps et s'armer de patience dans l'attente d'une amélioration de son état. Réconfort et compréhension assureront au convalescent une réintégration complète de la vie sociale et affective.

La prévention

Il reste encore beaucoup à accomplir dans l'approche thérapeutique des maladies cardio-vasculaires, toutefois le secret de la réussite réside dans la prévention primaire des causes les plus fréquentes de ces maladies. Chez le patient à risque, la prévention passe d'abord par l'évaluation et la stratification des facteurs de risque, grâce auxquelles le clinicien fixe les priorités de la prévention primaire et secondaire. Selon le *Michigan Heart Association*, chacun peut évaluer ses propres risques de développer une maladie cardio-vasculaire en prenant en considération sept critères importants (Tableau 3). En identifiant le chiffre correspondant à chaque facteur de risque énuméré dans ce tableau, vous pouvez évaluer votre propre risque : six à 11, très peu probable ; 12 à 17, peu probable ; 18 à 24, probabilité moyenne ; 25 à 31, probabilité modérément élevée ; 30 à 40, probable ; 41 à 62, très probable. Dans ces deux derniers cas, consultez votre médecin de toute urgence.

- **Les habitudes de vie.** En règle générale, la prévention primaire repose sur l'adoption de meilleures habitudes de vie. **Cesser de fumer** devient primordial ; en effet, une personne qui abandonne le tabac diminue, en cinq ans, ses risques de 50 % à 70 %. Une consommation modérée d'alcool réduit également le risque de 25 % à 45 %. Par ailleurs, chaque diminution de 1 % du taux des lipoprotéines de basse densité (mauvais cholestérol) et toute augmentation des lipoprotéines de haute densité (bon cholestérol) entraînent une réduction de 2 % à 3 % du risque d'accident vasculaire cérébral. On ne doit pas non plus négliger la **dimension psychologique**. Apprendre à gérer son stress et à se détendre est une approche des plus bénéfiques ; rire de bon cœur, par exemple, est un anti-

TABLEAU 3.
AUTO-ÉVALUATION DES RISQUES DE MALADIES CARDIO-VASCULAIRES*

	(1) 10-20	(2) 21-30	(3) 31-40	(4) 41-50	(6) 51-60	(8) 61-70
Âge						
Hérédité	(1) (–)	(2) 1 parent > 60 ans	(3) 2 parents 60 ans	(4) 1 parent 60 ans	(6) 2 parents 60 ans	(8) 3 parents 60 ans
Poids-santé (kg)	(0) 2 kg au-dessous	(1) 2 kg au-dessus	(2) 3-9 kg au-dessus	(3) 9-16 au-dessus	(5) 16-23 kg au-dessus	(7) 28-30 kg au-dessus
Tabagisme (Nombre/jour)	(0) (–)	(1) 1-7	(2) 10	(4) 20	(6) 30	(10) 40
Activité physique	(1) Travail intense + activités récréatives	(2) Travail modéré + activités récréatives	(3) Travail sédentaire + activité récréative intense	(5) Travail sédentaire + activité récréative modérée	(6) Travail sédentaire + activité récréative légère	(8) Complètement sédentaire

Cholestérol (mg/dL)	(1) <180	(2) 180-205	(3) 206-230	(4) 231-255	(5) 256-280	(7) 281-330
Tension artérielle (mm Hg)	(1) 110	(2) 120	(3) 140	(4) 160	(6) 180	(8) 200
Sexe (âge)	(1) Femme (<40)	(2) Femme (40-50)	(3) Femme (> 50)	(5) Homme	(6) Homme trapu	(7) Homme trapu, chauve

* Selon le « Michigan Heart Association »

stress très efficace. **L'exercice physique** régulier offre un autre moyen de prévention efficace : on observe en effet une diminution de 40 % du nombre de complications cardio-vasculaires chez les sujets pratiquant une activité physique régulière. L'exercice aérobique de longue durée et de faible intensité (*low impact*) a des effets bénéfiques sur la vascularisation collatérale coronaire, sur le calibre des vaisseaux et sur l'efficacité du travail du cœur, réduisant ainsi le risque de maladies cardio-vasculaires. L'exercice diminue aussi l'hyperlipidémie, et fait obstacle à l'obésité et à l'hypertension. La marche rapide, pratiquée quotidiennement, est probablement l'activité la plus appropriée. La natation, le cyclisme et la course à pied devraient être pratiqués à raison de deux séances de trente minutes ou trois séances de vingt minutes par semaine.

Une thérapie préventive adéquate (aspirine, antioxydants, inhibiteurs de l'ECA –enzyme de conversion de l'angiotensine– et hypolipémiants) peut aussi freiner le développement de maladies cardio-vasculaires.

• **L'aspirine** inhibe la formation de caillots (effet anti-plaquettaire) et dilate les artères, contribuant ainsi à la prévention des attaques cardiaques et des thromboses. En 1988, l'étude ISIS-2[2] démontrait qu'en cas d'infarctus aigu pressenti l'aspirine, prise seule, diminuait la mortalité de 23 %. Cette étude rapporte par ailleurs que l'aspirine semble protéger contre les infarctus les patients souffrant de fibrillations. Combinée à la streptokinase, elle réduit la mortalité de 42 % sans qu'augmente le taux des complications hémorragiques. Plus récemment, deux études impliquant 22 000 médecins américains et 5 000 médecins anglais ont mis en évidence une réduction significative (environ 30 %) des risques d'un premier infarctus du myocarde.

- **Les vitamines antioxydantes.** Plusieurs études ont mis en évidence le rôle des vitamines antioxydantes (vitamines E et C et bêta-carotène) dans la prévention des maladies cardio-vasculaires et l'athérosclérose (voir aussi Chapitre 1). Certaines études cliniques ont montré que la consommation de vitamines antioxydantes, surtout la **vitamine E**, diminue l'incidence des infarctus. Par exemple, une étude menée à Harvard[3] et portant sur 40 000 médecins (âgés de 40 à 75 ans) a démontré que les personnes qui consomment plus de produits contenant des antioxydants courent 49 % moins de risques de développer des maladies cardiaques. La réduction maximale du risque s'est vue chez les hommes consommant entre 100 et 249 U.I. par jour de vitamine E. Dans ce contexte, on trouve la vitamine E[4] dans les céréales (huile de germe de blé, huile de tournesol, huile d'amande), dans les noix (amandes, huile d'amande, huile de carthane), différents légumes (en particulier les épinards, les asperges et le brocoli), le pain et les céréales de blé entier ainsi que dans les fruits. Par ailleurs, les aliments perdent de la vitamine E au cours des traitements, du raffinage et de l'entreposage qu'on leur fait subir. La dose thérapeutique antioxydante de vitamine E est d'environ 200 à 400 U.I. par jour (doses nutritionnelles minimales recommandées pour un adulte étant de huit à 16 U.I. par jour). En général, la vitamine E a une toxicité très faible. On lui attribue très peu d'effets indésirables, on la dit sécuritaire et sans effet secondaire pour les patients qui ne présentent pas de trouble de la coagulation et qui ne prennent pas de warfarine. Par exemple, un patient qui prend de la warfarine peut présenter une interaction médicamenteuse. L'action de l'anticoagulant peut se trouver augmentée par l'administration simultanée de la vitamine E (400 U.I. ou plus). De plus, l'emploi excessif d'huile minérale ou la prise régulière de cholestyramine peuvent diminuer l'absorption de la vitamine E et donc nécessiter une plus grande consommation de cette vitamine. Quelques effets secondaires ont été signalés avec des consommations de 400 U.I. et plus par jour sur des périodes prolongées : vision brouillée, diarrhée, étourdissements, maux de tête, nausées, crampes, fatigue et faiblesse musculaires.

- **Le sélénium.** Il est souvent préconisé dans les suites d'infarctus. Certains conseillent un apport quotidien de 55 à 75 mcg. Il est souvent difficile à trouver dans l'alimentation.

- **Les hypolipémiants** sont prescrits seulement lorsque les mesures diététiques n'arrivent pas à contrôler le taux de lipides (cholestérol total, LDL, HDL, triglycérides) dans le sang. Ces médicaments réduisent le taux de lipides dans le sang soit en captant les sels biliaires (Cholestyramine, Colestipol), soit en diminuant la synthèse hépatique (Cholifibrate, Gemfibrozil, Probucol), ou bien aussi en bloquant la formation de cholestérol (Lovastatine). **Attention !** car la majorité de ces médicaments peuvent entraîner des troubles gastro-intestinaux, comme des nausées, des ballonnements, et de la constipation (Colespitol et Cholestyramine) ou de la diarrhée (Clofibrate, Probucol), particulièrement au début du traitement. Par conséquent, l'administration de ces médicaments requiert un suivi régulier par le clinicien. Finalement, la vitamine E, ou tocophérol, certains dérivés nicotiniques (Dilexpal), l'huile de poisson (Maxepal) pour n'en citer que sont également considérés comme des hypolipémiants. Pour en savoir plus, contactez la coalition « Cholestérol Québec », une initiative chapeauté par la Fondation des maladies du coeur du Québec au (514) 871-0133.

- **L'aubépine.** En thalassothérapie, les effets de l'aubépine sur le coeur sont particulièrement bénéfiques. Elle améliore la nutrition du muscle cardiaque par les artères coronaires et protège l'ensemble du système vasculaire. Elle permet aussi de corriger les troubles du rythme cardiaque et de ralentir celui-ci, quand il est trop rapide. Enfin, elle a une action modératrice sur la tension artérielle. L'aubépine doit ses propriétés à la présence de plusieurs constituants de la famille chimique des flavonoïdes et des flavanes. L'aubépine est actuellement largement employée pour soulager de nombreux troubles cardiaques, tels que les palpitations et accélération des battements. De plus, son action cardiotonique améliore la circulation artérielle coronaire.

- **Le régime méditerranéen.** D'après les travaux de Serge Renaud et Michel de Lorgeri, le régime méditerranéen peut protéger le coeur. Il consiste en l'absorption de fruits, de végétaux, d'aromates, de céréales complètes, et d'huile d'olive. Le principe est de consommer peu de viandes et de produits laitiers entiers, trois à quatre oeufs au maximum par semaine, des fruits et légumes à chaque repas, des féculents et du pain en plus grandes quantité. Le beurre est remplacé par une margarine à base de colza, des matières grasses végétales (huile d'olive, de colza) à la place de matières grasses animales. Ce régime aurait fait ses preuves sans aucun ajout supplémentaire chez des patients ayant un infarctus.

En résumé, il faut tout mettre en oeuvre pour améliorer notre mode de vie, en réduisant la consommation de matières grasses, de tabac et en augmentant l'exercice physique. De plus, les personnes déjà touchées par des maladies cardio-vasculaires et celles qui présentent plusieurs facteurs de risque, devront se préoccuper davantage de leur taux de lipides dans le sang et tout mettre en oeuvre pour le ramener à un niveau normal.

Chapitre 2

Le cancer :
une maladie qui
se prévient !

Le mot **cancer** désigne un ensemble de maladies très disparates, les unes redoutables, les autres d'une malignité réduite, dont les signes cliniques, l'évolution et le pronostic (survie du patient) sont fonction à la fois de l'organe atteint et de la nature même des cellules malignes. Un cancer peut apparaître à tout âge et toucher n'importe quel tissu ou organe. Certains cancers présentent un pic d'incidence entre 60 et 80 ans (prostate, estomac, côlon), alors que d'autres ont une incidence maximale entre la naissance et l'âge de 10 ans (leucémies lymphoblastiques aiguës). La majorité des cancers détectés à un stade précoce sont potentiellement curables ; par conséquent, il apparaît de la plus grande importance de comprendre la nature et les causes du cancer et, surtout, de savoir comment le prévenir, le détecter précocement et le traiter adéquatement.

LES CAUSES

Le rapport Harvard sur la « Prévention du cancer » se veut une synthèse des découvertes des milliers de recherches menées à ce jour. Ce rapport, publié aux États-Unis en 1996, tente d'identifier les sources potentielles de risque de cancer dans notre société moderne. Environ 80 % des cancers peuvent être reliés au style de vie (30 % au tabagisme, 30 % régime alimentaire-obésité, 5 % à la sédentarité et 5 % à une exposition occupationnelle)[4]. Cette constatation milite en faveur de la prévention par un changement du style de vie, l'élaboration et l'application d'une saine législation gouvernementale, l'évolution de la société et les progrès de la recherche fondamentale et appliquée dans le développement de nouvelles stratégies préventives.

Comment naît un cancer ?

Chaque jour, chez un adulte en bonne santé, environ 200 milliards de cellules meurent... Ce qui signifient que 200 milliards de cellules naissent également. Cette formidable activité est orchestrée au niveau de la cellule. Elle obéit donc aux ordres qu'elle reçoit de son environnement. Mais parfois, la cellule n'obéit plus. Elle n'a de cesse alors que de se reproduire et de conquérir un espace, sans se soucier de ses semblables. Le coeur de l'usine, c'est-à-dire la molécule d'ADN, est devenu fou. Il risque alors de provoquer un cancer si cet emballement n'est pas contenu.

Qui est l'artisan du dérèglement ?

Les scientifiques sont unanimes pour incriminer le gène. En effet, certains gènes apparemment normaux peuvent voir leur structure se modifier et déclencher une cascade d'évènements catastrophiques conduisant au cancer. On les dit dans ce cas, **oncogènes**.

Comment ce processus intervient-il ?

Il est impossible de donner une seule réponse. Vraisemblablement, c'est une chaîne d'accidents survenant à la surface et à l'intérieur de la cellule, indépendants des uns des autres, qui engendre des modifications s'accumulant pour aboutir enfin à la transformation d'un gène en oncogène. Dans tous les cas, il y a mutation du gène, c'est-à-dire que sa structure n'est plus la même. Elle est tronquées, soit en partie modifiée, soit amplifiée.

La naissance d'une cellule cancéreuse requiert la survenue de plusieurs accidents (mutations) rares et autonomes dans une cellule (Figure 9). Certaines sont héréditaires ; c'est le cas

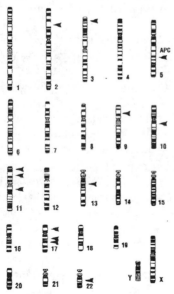

Figure 9. *Localisation sur les chromosomes humains de certains accidents (mutations) prédisposant aux cancers*

43

notamment pour le gène APC (chromosome 5) impliqué dans le cancer du côlon (10 % des cas) et pour le gène BRCA1 (chromosome 17) responsable du cancer du sein héréditaire (de 2 % à 4 % des cas) et du cancer des ovaires (de 5 % à 10 % des cas).

Toutefois, même si la cellule a subit une mutation à la naissance, ceci n'est pas suffisant. La descendance de cette cellule doit elle aussi être victime de mutations supplémentaires pour devenir cancéreuse. Les scientifiques pensent que de 80 % à 90 % des cancers peuvent être évités car engendrés par des facteurs environnementaux. Certains d'entre eux engendrent directement des mutations génétiques – ce sont les initiateurs de cancers. D'autres agissent comme des promoteurs de cancers, c'est-à-dire qu'ils contribuent à augmenter la population de cellules susceptibles d'évoluer en cancer, sans toutefois être capables elles-même de provoquer des mutations. Par exemple : les rayons X, les rayons ultraviolets, certaines substances chimiques (pesticides, fumée de tabac) et certains virus, appartiennent à la première catégorie. Certains dérèglement hormonaux, les acides gras et le stress, relèvent de la seconde catégorie.

Par conséquent, le développement de la maladie cancéreuse est un processus continu au cours duquel les cellules traversent une série d'étapes : initiation, promotion et progression (Figure 10).

Au cours de l'**initiation** se produit les mutations génétiques qui se traduisent par une anarchie de la division cellulaire. Au cours de cette étape, une seule agression par un carcinogène puissant (substance chimique, rayons X, rayons UV ou virus) peut causer des altérations génétiques importantes. Toutefois, même si l'étape de l'initiation joue un rôle crucial dans le développement de la maladie cancéreuse, elle n'en est pas la seule responsable puisqu'une deuxième étape décisive intervient dans le processus : la promotion.

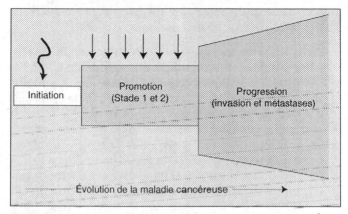

Figure 10. *La carcinogenèse est un processus qui comporte plusieurs étapes*[5]

C'est au cours de la **promotion** et sous l'agression répétée d'agents cancérigènes externes et internes faibles (déséquilibres hormonaux, gras alimentaires, pesticides, carences alimentaires, stress, acides biliaires, etc.) que la cellule transformée se multiplie incessamment et rapidement, et de façon incontrôlée. C'est la naissance d'un clone de cellules cancéreuses. L'**exposition répétée** aux agents cancérigènes joue donc, à cette étape, un rôle déterminant.

La période qui sépare l'initiation de l'apparition clinique de la tumeur cancéreuse est définie comme le **temps de latence**. Celui-ci varie (de quatre à 40 ans) selon le type de cancer et l'organe atteint.

Réaction du corps à la présence d'une cellule transformée

Normalement, le système de défense a prévu les accidents de parcours et peut les éliminer en faisant appel à deux importants mécanismes: le système de réparation de l'ADN et le système de défense immunitaire.

- **Activation du mécanisme de réparation de l'ADN**. Chaque cellule du corps humain possède un ensemble d'enzymes spécifiques dont le rôle consiste essentiellement à détecter tout dommage causé à la molécule d'ADN (Figure 11, cercle sur la molécule d'ADN) et à le réparer. La première étape se résume à la reconnaissance de la lésion (Figure 11, A). Les enzymes procèdent ensuite à l'exclusion de cette lésion en pratiquant deux incisions, l'une en amont (Figure 11, B) et l'autre en aval (Figure 11, C), libérant ainsi toute la portion de l'ADN lésé (Figure 11, D). La troisième étape consiste en la synthèse de l'ADN manquant; la cellule utilise pour ce faire la molécule opposée comme matrice. La dernière étape se résume à la liaison de l'ADN nouvellement synthétisé à l'ADN parental (Figure 11, E).

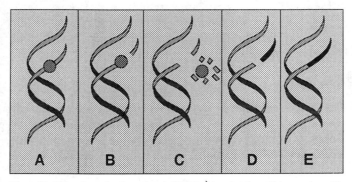

Figure 11. *Mécanisme de réparation de l'ADN. À la suite d'une lésion sur la molécule d'ADN (A), une incision se fait en amont (B) et en aval (C), libérant le brin d'ADN lésé. La resynthèse de l'ADN (D) et la fermeture du brin d'ADN (E) permettent une réparation complète de la molécule.*

Ces différentes étapes requièrent une coordination parfaite des enzymes à l'œuvre. Par conséquent, une lacune ou un défaut sur l'une de ces enzymes, ou encore la saturation du système (par exemple en raison d'expositions prolongées et multiples aux rayons UV), se traduiront par des changements importants, voire par une perte complète de la fonction de réparation de l'ADN.

- **Activation du système de défense immunitaire**. La surface des cellules cancéreuses est recouverte d'une multitude de protéines qui ne sont pas présentes sur les cellules normales. L'apparition de ces protéines spécifiques, aussi appelées « antigènes associés aux tumeurs », stimule le deuxième mécanisme de défense de l'organisme, c'est-à-dire le système de défense immunitaire (Figure 12).

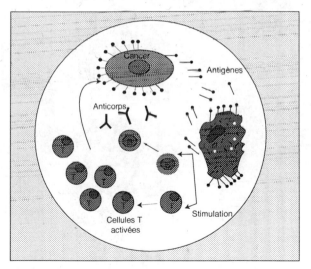

Figure 12. *Les acteurs de notre système de défense immunitaire.*

Plusieurs acteurs à l'œuvre dans ce système de défense jouent un rôle primordial dans l'identification et l'élimination de toute substance étrangère à l'organisme ; les **macrophages**, sortes de « vidangeurs » de l'organisme, sont les premiers à reconnaître les cellules cancéreuses et à signaler leur présence en exprimant à leur surface les « nouveaux antigènes » de l'intrus reconnu. Cette identification active les **lymphocytes T**, qui s'attaqueront directement aux cellules cancéreuses, et les **lymphocytes B**, qui sécréteront des anticorps pour les détruire. Les **cellules tueuses naturelles** (**NK** pour *Natural Killer*), toujours présentes, se joindront aux lymphocytes pour attaquer sans répit les cellules cancéreuses (Figure 13).

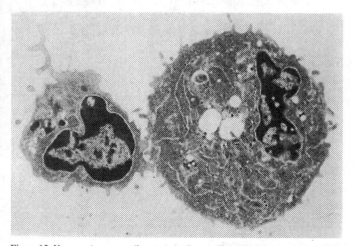

Figure 13. *Vue au microscope électronique d'une cellule NK détruisant une cellule cancéreuse. La présence de vacuoles (taches blanches dans le cytoplasme) dans la cellule cancéreuse (grosse cellule à droite) montre qu'elle est en voie de désintégration.*

Les progrès réalisés en immunologie ont permis de caractériser l'origine, l'habitat et le mode de vie (sédentaire ou nomade, dans le sang ou la lymphe) de chaque cellule de l'immunité, ainsi que les signaux (interféron, interleukines, etc.) émis par ces cellules. Ces signaux permettent une coopération efficace et concertée de toutes les cellules, tels les acteurs d'un drame parfaitement réglé.

La progression de la maladie cancéreuse

Toutefois, lorsque les injonctions à la délinquance sont trop fortes (trop grand nombre de cellules transformées ou cancéreuses), ou que les mécanismes de défense de l'organisme ont perdu leur efficacité, les cellules cancéreuses se constituent alors en amas : la tumeur apparaît. Lorsque les cellules cancéreuses deviennent suffisamment malignes, elle se mettent à coloniser les territoires qui sont réservés normalement à d'autres cellules (**invasion**). C'est l'étape de la **progression** de la maladie cancéreuse. La délinquante est même capable de se détacher de la tumeur et se jette dans les vaisseaux lymphatiques ou sanguins pour pénétrer par cette voie d'autres organes et s'y développer (**métastases**) (Figure 14). Plus un cancer produit de métastases, pus il devient complexe de l'éradiquer. Les métastases constituent les complications les plus redoutables de la maladie cancéreuse puisqu'elles représentent la cause la plus fréquente de mortalité due au cancer.

L'AMPLEUR DU PROBLÈME

Selon les plus récentes statistiques, on estime que 130 800 nouveaux cas de cancers et 60 700 décès associés à un cancer seront enregistrés au Canada en 1997[7]. Au Québec seulement, les chiffres se situent à 31 800 nouveaux cas de

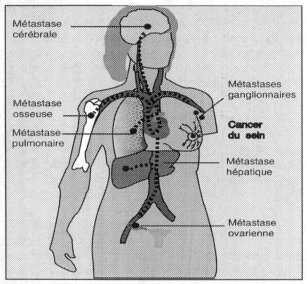

Figure 14. *Les voies de propagation des tumeurs vers les régions éloignées :
la circulation sanguine et les vaisseaux lymphatiques (points hachuré dans le
diagramme)*

cancer et 16 300 décès causés par la même maladie. Environ un Canadien sur trois sera atteint d'une forme ou d'une autre de cancer au cours de sa vie.

Le cancer frappe surtout les personnes âgées puisque 71 % des nouveaux cas surviennent chez les personnes âgées de 60 ans et plus et que l'on retrouve dans cette même catégorie d'âge, 80 % des décès dus au cancer. Par exemple, le risque pour une femme de développer **un cancer du sein au cours de sa vie, qui est de un sur neuf (c'est-à-dire si elle**

vit jusqu'à 98 ans). Ce risque progresse de la manière suivante : 1 sur 250 entre 30 et 39 ans ; 1 sur 71 entre 40 et 49 ans ; 1 sur 48 entre 50 et 59 ans ; 1 sur 34 entre 60 et 69 ans ; 1 sur 30 entre 70 et 79 ans.

Par ailleurs, moins de 1 % des décès et moins de 2 % des nouveaux cas de cancer surviennent avant l'âge de 25 ans.

En Amérique du Nord, comme du reste dans la majorité des pays occidentaux, le nombre de cas de cancer a augmenté en moyenne de 0,8 % par année chez les hommes et de 0,5 % chez les femmes (Figure 15). Toutefois, les courbes d'incidence ne sont pas strictement comparables. Trois sièges représentent plus de la moitié (55%) des nouveaux cas

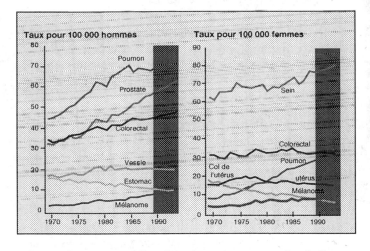

Figure 15. *Taux comparatifs d'incidence de certains cancers au Canada (Source : Statistique Canada)*

chez l'homme (poumon, prostate et côlon) et chez la femme (sein, côlon et poumon). Lorsque l'on compare l'ampleur des tendances pour les différents types de cancer, on retrouve des variations importantes.

- Chez les femmes, depuis 10 ans on observe que le taux d'incidence et de mortalité du cancer du sein est à peu près stable alors que l'on assiste à une hausse du taux d'incidence et de décès du cancer du poumon. Dans la population féminine, le cancer du poumon est plus fréquent et plus fatal dans une proportion de 35 % par rapport à il y 10 ans. Par ailleurs, le taux d'incidence diminue ainsi que les décès dus aux cancers du col de l'utérus et de l'endomètre (conséquence directe de l'amélioration de l'hygiène intime féminine et du dépistage précoce par frottis vaginal).

- Chez les hommes, depuis 10 ans, on remarque que le taux global de mortalité a diminué d'une façon générale chez les hommes mais que l'incidence globale a augmenté légèrement en raison d'une augmentation rapide du cancer de la prostate. Fait intéressant, la diminution de l'usage du tabac amorcée au cours des années 60 chez la population masculine se reflète déjà par une baisse significative du cancer du poumon..

- L'un des phénomènes les plus frappants est la diminution de la fréquence du cancer de l'estomac chez les deux sexes.

En général, les hommes sont plus touchés (incidence et mortalité) que les femmes (Figure 16). Ils ont deux fois plus de cancers de la langue, de la bouche, du pharynx, de l'œsophage, du poumon et de la vessie. Le tabac sous toutes ses formes et l'alcool sont directement mis en cause dans tous ces types de cancers. Par ailleurs, certaines expositions

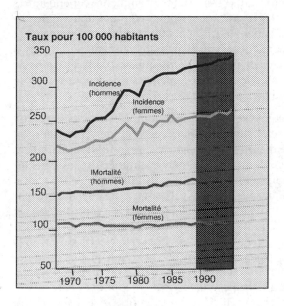

Figure 16. *Taux comparatifs d'incidence et de mortalité pour tous les cancers au Canada (Source : Statistique Canada)*

professionnelles seraient responsables du cancer du larynx, du poumon et de la vessie. Voilà pourquoi, semble-t-il, leur incidence est plus élevée chez les hommes.

LE DIAGNOSTIC

Il n'existe pas de signes cliniques communs à tous les cancers ; les symptômes varient en fonction de l'organe touché. Deux faits importants dominent cependant la symptomatologie du cancer : premièrement, tout signe clinique, aussi banal soit-il, peut être révélateur d'un cancer ; deuxièmement, des symptômes absolument identiques à ceux d'un cancer peuvent se manifester dans le cadre de maladies infectieuses, d'affections dégénératives, de tumeurs bénignes ou autres.

Par conséquent, seul l'examen complet et consciencieux par un spécialiste compétent permet de confirmer ou d'écarter le diagnostic de cancer, qui se fonde notamment sur l'étendue de la maladie (stade clinique) et les caractéristiques morphologiques des tissus tumoraux (observation microscopique des cellules). Ces critères fournissent par ailleurs des indications précieuses pour le pronostic (survie du patient). En effet, on peut faire disparaître un très grand nombre de tumeurs locales, bien circonscrites et sans métastases, par un traitement local adéquat (chirurgie, radiothérapie). Cependant, en présence de métastases éloignées, le traitement, plus global, s'appliquera à tout le corps (administration de drogues antinéoplasiques, greffe de moelle osseuse, etc.). C'est la raison pour laquelle la recherche des métastases revêt une importance fondamentale dans l'établissement de la stratégie thérapeutique, et c'est ce qui explique pourquoi chaque patient est soumis à une batterie d'examens spéciaux (biopsies, radiographies, scintigraphie hépatique et osseuse, scanner, etc.) dont le seul but est de détecter précocement les métastases.

Le dosage des récepteurs hormonaux joue également un rôle capital dans le diagnostic clinique et la thérapie des cancers hormono-dépendants (sein, ovaires, utérus, prostate).

Dans le cas des lymphomes et des leucémies, la cytogénétique et le phénotypage des immunoglobulines à la surface des cellules cancéreuses sont déterminants pour le choix de la thérapie anticancéreuse.

La découverte d'antigènes associés aux tumeurs à la surface de certaines cellules cancéreuses a donné lieu au développement et à l'utilisation d'anticorps spécifiques pour détecter la présence de ces cellules dans le sang. Par exemple, l'antigène carcinoembryonnaire, présent à la surface des cellules tumorales du côlon et du sein et découvert voilà une vingtaine d'années par le docteur Phil Gold, de l'Hôpital général de Montréal, est utilisé depuis 15 ans en clinique comme indicateur de la réapparition de tumeurs du côlon après une chirurgie. En plus d'aider à mieux comprendre la biologie du cancer, l'emploi de plus en plus répandu des anticorps facilite le diagnostic et aide à améliorer le pronostic de cette maladie.

LA DÉTECTION PRÉCOCE ET LE DÉPISTAGE SYSTÉMATIQUE

La détection précoce vise à identifier les premiers signes cliniques de la maladie cancéreuse (lésions précancéreuses) afin d'en enrayer la progression, de permettre un traitement moins radical et de réduire ainsi la charge psychologique et émotionnelle que génère le diagnostic de cette maladie. En effet, plusieurs cancers de l'épithélium (sein, utérus, côlon, peau) passent par des étapes précancéreuses tels l'hyperplasie, la dysplasie, et le cancer *in situ* avant de devenir un cancer invasif (Figure 17). En revanche, l'évolution de plusieurs autres cancers (poumons, pancréas, par exemple) est trop rapide ou ne comporte pas d'étapes précancéreuses (sarcomes), ce qui rend leur détection précoce beaucoup plus difficile.

Cellules normales   Hyperplasie = Prolifération   Dysplasie = Prolifération
sans cellules anormales   avec cellules anormales

Cancer *in situ*   Cancer invasif

Figure 17. *L'évolution d'un tissu normal vers un cancer invasif passe par plusieurs étape successives : hyperplasie, dysplasie, cancer* in situ *puis cancer invasif*

Le dépistage systématique permet quant à lui de détecter précocement une lésion cancéreuse chez un individu sain mais présentant un risque de cancer. Le dépistage et la détection précoce relèvent de stratégies ayant pour objectifs : premièrement, l'information et l'éducation de la population ; deuxièmement, la découverte des premiers signes cliniques ou des situations alarmantes ; et troisièmement, l'identification et la surveillance des groupes à risque.

Information et éducation

Plusieurs experts sont d'avis que plus de 50 % des cancers chez l'homme et environ 40 % des cancers chez la femme pourraient être évités si on les détectait précocement. Parmi les quelque 70 variétés de cancer, huit comptent pour 70 % de tous les cas connus (côlon, prostate, sein, endomètre, peau, rein, estomac et vessie) et la grande majorité de ces cancers peuvent faire l'objet d'un dépistage systématique. Malheureusement, tout un ensemble de mythes, de préjugés, de traditions et d'habitudes enracinés dans l'individu ou la société s'opposent encore à une prévention indiscutablement nécessaire.

Par conséquent, pour assurer cette prévention, il faut commencer par amener les personnes hautement concernées à se soumettre au dépistage systématique organisé. Il est du devoir des chercheurs, des cliniciens, des pédagogues et des gouvernements de tout mettre en œuvre pour que les individus soient alertés dès l'apparition de signes nouveaux, même en apparence bénins, d'autant plus si ces symptômes persistent. Sans aucun doute, la télévision est avec la radio l'un des meilleurs moyens d'expliquer la nécessité du dépistage. Après chaque émission ou lors d'une campagne d'information, on note à chaque fois une augmentation des demandes de dépistage. Pour bien dépister, sachons communiquer !

Identification et surveillance des groupes à risque

Les méthodes de détection précoce du cancer et l'évaluation précise du stade de la maladie ont fait des progrès considérables au cours des 10 dernières années. Le recours systématique à des examens de dépistage a réduit de façon spectaculaire le taux de mortalité pour les cancers du sein, du col de l'utérus et de l'intestin, les chances de guérison étant proportionnelles à la précocité du dépistage. La grande majorité de ces techniques (Tableau 4) sont actuellement couramment utilisées dans plusieurs hôpitaux au Canada.

Identification des premiers signes ou des situations alarmantes

+ L'apparition soudaine d'un nodule au sein, d'un écoulement du mamelon ou d'un changement dans l'apparence, la consistance ou la grosseur du sein et du mamelon.

+ Un grain de beauté qui apparaît à l'âge adulte ou qui grossit, s'étend, change de couleur ou devient inflammatoire (la peau environnante devient rouge, chaude et douloureuse). Un changement d'aspect (forme, couleur) d'une verrue ou d'un grain de beauté, ou un saignement provenant d'un grain de beauté.

+ Une ulcération persistante de la bouche, de la langue ou des lèvres.

+ Un saignement ou un écoulement anormal, même si le saignement semble être rattaché a priori à une cause évidente (par exemple des hémorroïdes).

+ Un mal de gorge, un enrouement persistant, une difficulté à avaler, en particulier chez le fumeur qui consomme régulièrement de l'alcool.

+ Une toux tenace qui dure des semaines et des mois et dont l'origine reste inconnue, surtout chez le fumeur.

+ Des dérangements de la fonction intestinale se traduisant par exemple par l'alternance de constipation et de diarrhée, surtout lorsque ces symptômes s'accompagnent d'une perte de poids. L'apparition, après l'âge de 40 ans, d'une paresse intestinale, de constipation ou de selles noirâtres.

+ Toute perte anormale de sang par les orifices naturels (bouche, anus, urètre) et, chez la femme, des sécrétions utérines et vaginales après la ménopause.

+ La présence de sang dans les selles ou les urines.

+ La cicatrisation interminable d'un ulcère ou d'une blessure légère.

+ Une altération de l'état général avec perte de poids inexplicable et fatigue.

TABLEAU 4

TECHNIQUES DE DÉPISTAGE DU CANCER

Analyse cytologique	Ces examens révèlent la présence de cellules anormales. Le frottis vaginal en est un exemple. On peut aussi pratiquer une analyse cytologique des urines afin de rechercher un cancer de la vessie, ou encore aspirer des cellules bronchiques lors d'une bronchoscopie pour les analyser.
Imagerie	Toutes les techniques peuvent être utiles pour diagnostiquer un cancer (Voir aussi Tome 1, Chapitre 3). Il peut s'agir aussi bien d'une radiographie simple comme la mammographie que d'une échographie ou d'un scanner qui peut donner des images très précises des organe internes.
Examens biologiques	Ces divers examens peuvent identifier des substances dont la découverte permet de soupçonner un cancer ; par exemple la présence la technique hémoculture dans le diagnostic du cancer colorectal.
Examens biologiques	L'examen à l'intérieur des organes atteints de cancer est habituellement réalisé par un endoscope introduit à l'intérieur d'un organe ou d'une cavité : coloscopie, fibroscopie, cystoscopie.

Le dépistage précoce des cancers gynécologiques

Les cancers gynécologiques représentent un peu plus de 40 % de tous les cancers. D'après leur classement en importance, le cancer du sein occupe la première place avec une incidence de 28 %, le cancer de l'endomètre compte pour 6 %, le cancer de l'ovaire pour 4 % et le cancer du col de l'utérus pour 3 % de tous les cancers touchant la femme. Dans l'arsenal de la détection précoce des cancers gynécologiques, l'examen annuel gynécologique complet, comprenant l'examen des seins et des ganglions axillaires, l'inspection de la vulve, du vagin et du col, le frottis vaginal, l'examen bimanuel de l'utérus et de ses annexes ainsi que l'examen recto-vaginal, constitue un moyen des plus efficaces. Représentant une méthode simple, peu coûteuse et indolore, le **frottis vaginal** permet l'identification des cellules précancéreuses et cancéreuses typiques d'un cancer du col de l'utérus ou de l'endomètre (Figure 18).

L'utilisation de cette technique, qui permet le dépistage de plus de 90 % des cancers du col de l'utérus à un stade précoce (dysplasies), a réduit de plus de 50 % le taux de mortalité associée à ce cancer grâce au diagnostic précoce et au

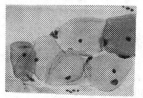

A

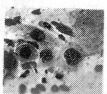

B

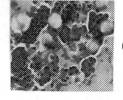

C

Figure 18. *Frottis vaginal montrant des cellules normales du col de l'utérus (A) comparées à des cellules cancéreuses à un stade précoce (B) et à un stade avancé (C) du cancer du col de l'utérus. Il faut noter que la forme et la taille des cellules diminuent progressivement et que le rapport cytoplasme/noyau devient de plus en plus petit.*

traitement *in situ* (Figure 19). La généralisation de la pratique annuelle des frottis vaginaux devrait en fait exclure le cancer du col des causes de mortalité féminine. Malheureusement, moins de 40 % des femmes hautement concernées, celles âgées de plus de 50 ans, subissent un frottis vaginal.

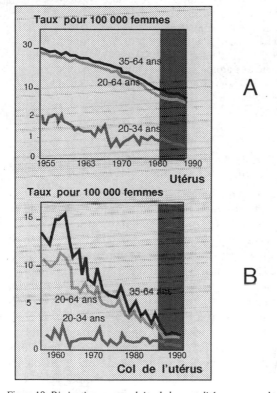

Figure 19. *Diminution spectaculaire de la mortalité par cancer du col de l'utérus (A) et de l'endomètre (B) par catégories d'âges au Canada*

Cancer du col de l'utérus : facteurs de risque

- Précocité des premiers rapports sexuels;
- multiplicité des partenaires sexuels;
- hygiène intime inadéquate;
- antécédents d'endométrite ou de leucorrhées (pertes blanches);
- multiplicité des grossesses ou des fausses couches;
- MTS à répétition, tout particulièrement des infections virales par VHP;
- tabagisme;
- milieu socio-économique défavorisé.

Un dépistage systématique organisé chez ces femmes permettrait de réduire de 90 % la mortalité due à ce cancer.

La surveillance gynécologique **doit débuter après les premiers rapports sexuels**. Les femmes qui n'ont jamais eu de relations sexuelles n'ont pas besoin d'être suivies. **En cas d'hystérectomie**, le frottis vaginal est recommandé seulement s'il s'agit d'une hystérectomie subtotale (lorsque le col de l'utérus n'a pas été enlevé). On préconise alors un examen tous les deux ou cinq ans, selon l'âge et les autres facteurs de risque. **Le frottis vaginal doit être effectué tous les ans jusqu'à l'âge de 69 ans**. Par la suite, les femmes ayant montré au moins deux frottis négatifs au cours des neuf années précédentes n'ont pas besoin d'être suivies. **La découverte d'une dysplasie ou d'un carcinome** *in situ* impose un examen plus poussé par colposcopie, une technique qui permet la visualisation directe du col de l'utérus au moyen d'un appareil optique grossissant et d'un éclairage puissant. La colposcopie repère la zone atteinte dans 85 % des cas, permettant ainsi une intervention chirurgicale (biopsie cervicale et curetage endocervical) en consultation externe.

La détection précoce du cancer du sein

Bien que le diagnostic histologique du cancer du sein soit fort simple, on déploie à l'heure actuelle des efforts significatifs en matière de dépistage précoce de ce type de cancer. Par ailleurs, les études épidémiologiques et génétiques ont permis l'identification des gènes défectueux qui prédisposent au cancer les membres des familles dites à risque. Grâce à la mise sur pied du Réseau québécois de recherche sur le cancer (dont le coordonnateur est le docteur Jacques Simard, du CHUL à Québec), on peut maintenant regrouper et analyser des informations pertinentes sur le plus grand nombre possible de familles à risque au Québec. Ce réseau a pour objectif de déterminer la fréquence, au Québec, des formes héréditaires de cancer du sein, des ovaires, du côlon et de la prostate, ainsi que la fréquence des facteurs non génétiques qui modifient le risque de cancer. Cette approche promet de révolutionner le dépistage de ces types de cancer.

Le but ultime de la détection précoce est de confier aux thérapeutes des cancers du sein de petite taille (moins de 1 cm) sans envahissement ganglionnaire. Le traitement de ces cancers ne requiert pas l'ablation du sein (mastectomie), puisqu'une série imposante de protocoles cliniques montre qu'une tumorectomie (ablation de la tumeur) locale s'avère aussi bénéfique tout en ayant un impact psychologique beaucoup moins dramatique. Lorsque le cancer est détecté précocement, les patientes ont 96 % de chances de survivre à la maladie.

Le dépistage précoce du cancer du sein repose essentiellement sur trois techniques complémentaires : l'auto-examen des seins (AES), l'examen clinique et la mammographie. Chaque méthode comporte ses limites et, même utilisées de façon complémentaire, aucune ne peut offrir de garantie absolue

L'auto-examen des seins, ou AES (Figure 20), doit être intégré aux habitudes de vie saine et préventive et doit faire partie des investigations personnelles mensuelles. Les spécialistes recommandent à toute femme âgée de plus de 25 ans de pratiquer l'AES mensuellement et de consulter un gynécologue ou un médecin de famille annuellement. Les croyances et les attitudes des femmes sembler influer sur l'efficacité des programmes d'éducation à l'AES et sur leur décision de procéder ou non à l'auto-examen de leurs seins. L'idée de toucher et d'examiner ses seins, la peur de trouver un nodule et le manque de confiance dans leur habileté à procéder à cet examen font partie des raisons invoquées par les femmes pour ne pas intégrer l'AES à leurs habitudes de vie. Pourtant cet examen est simple, efficace, et ne comporte aucun coût. Il suffit de bien connaître les différentes étapes (Figure 20) : l'examen visuel (en se regardant dans un miroir) et la palpation. La femme non ménopausée pratiquera cet examen une semaine après la fin des règles, tandis que les autres choisiront simplement une date fixe, par exemple le premier jour de chaque mois, pour effectuer sans faute cet examen.

Le but de L'AES est d'apprendre à connaître la consistance normale des seins pour être sensible aux changements qui pourraient survenir et permettre une consultation rapide dès l'apparition de **tout changement anormal et persistant** (asymétrie, fossette inhabituelle, modification du mamelon

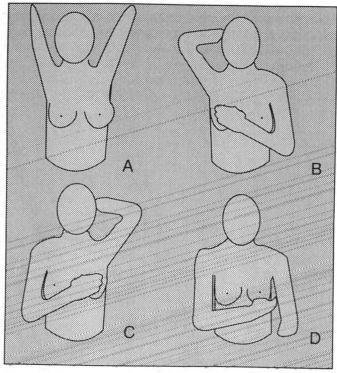

Figure 20. L'auto-examen des seins

ou de l'aréole), même si ce changement paraît mineur. Pour en savoir plus consultez le vidéo de la Société Canadienne du cancer intitulé « la mémoire au bout des doigts ».

L'AES connaît toutefois des limites. Si vos seins sont volumineux, fermes et hétérogènes, c'est-à-dire s'ils contiennent plusieurs nodules qui changent de place, il ne sera d'aucune fiabilité. Si vous êtes nerveuse ou anxieuse, vous vous découvrirez des cancers partout. En pareils cas, l'examen clinique paraît plus efficace.

Technique de l'AES

Il faut d'abord apprendre à comparer **les deux seins** pour déceler les différences éventuelles dans la forme, la texture, l'aspect du mamelon, la peau et le mouvement des seins lorsque vous élevez les bras au-dessus de la tête.

Il faut aussi savoir identifier **les nodules perçus** : un sein normal contient des glandes donnant au sein une constitution irrégulière et bosselée. Ces glandes sont mobiles et de consistance plus ou moins molle, surtout dans la périphérie du sein.

À mesure que vous vous rapprochez du mamelon, elles ont tendance à être de plus en plus denses. À titre de comparaison, cette constitution s'apparente à celle de votre globe oculaire.

Par ailleurs, un cancer du sein est souvent dur et fixe. Pour vous habituer à cette consistance un peu graniteuse, pressez bien fort avec un doigt le bout de votre nez ; vous éprouverez la sensation d'une masse dure et immobile.

L'examen clinique annuel s'avère également fondamental dans le dépistage précoce du cancer du sein. Il s'agit d'une inspection minutieuse des deux seins et de toutes les régions ganglionnaires, non seulement de façon statique mais aussi — et surtout — de façon dynamique : la patiente doit élever le bras ou, en se tenant debout, pencher le buste. Le professionnel de la santé (clinicien ou infirmière) recherche toute asymétrie marquée dans l'apparence et le mouvement des seins, des dépressions cutanées (rides, plis), des rétractions, des déviations, un eczéma du mame-

lon, des ulcérations ou un œdème. La palpation permet
d'apprécier la consistance générale des seins : mous ou fermes, nodulaires, graniteux ou homogènes. Elle est pratiquée les doigts serrés et posés à plat, l'extrémité décrivant
de petits mouvements circulaires. Puis, en pinçant légèrement le mamelon, on évalue sa souplesse et sa mobilité.
Enfin la palpation du creux de chaque aisselle et de la
région formant la base du cou, permet de déceler la présence de ganglions. Si une tumeur est détectée, il faut en
déterminer les contours, la mobilité, la consistance et la
position dans le sein.

Enfin, **la mammographie** permet l'évaluation de la consistance du sein et la détection précoce de cancers du sein.
Cette technique radiologique (Figure 21), qui se maintient
au premier rang des moyens de dépistage du cancer du sein,
offre une fiabilité d'environ 85 %, particulièrement pour les

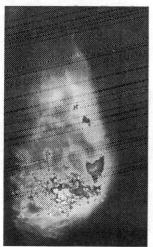

Figure 21. *La mammographie demeure
l'outil privilégié du dépistage systématique
des cancers du sein chez les femmes à risque
de développer un cancer du sein.*

femmes de plus de 50 ans. L'efficacité du dépistage par mammographie chez les femmes âgées de 40 à 49 ans continue de soulever la controverse, et les résultats des études ne sont pas concluants. Par contre, de nombreuses études épidémiologiques ont démontré que le dépistage par mammographie permet la détection des lésions précliniques (dimensions variant entre 0,1 cm et la taille de microcalcifications).

Pratiquée systématiquement (à tout les 12 ou 18 mois), la mammographie permet de réduire de 30 % la mortalité par cancer du sein. Les cancers du sein décelés par mammographie sont petits, hautement curables, et la réduction de la mortalité tourne autour de 30 % à 40 % chez les femmes de plus de 50 ans. Toute femme devrait être encouragée à se soumettre à ce dépistage (Tableau 4) dans un centre reconnu par le Comité d'agrément en mammographie (environ 75 centres de dépistage à travers la province).

Il ne faut pas oublier que l'efficacité de la mammographie dépend essentiellement de la qualité de l'image radiographique et de la compétence de ceux qui interprètent les résultats. En règle générale, les départements de radiologie de tous les grands hôpitaux sont accrédités.

L'auto-examen des organes génitaux

L'auto-examen des organes génitaux externes représente un moyen efficace pour diagnostiquer précocement des lésions cancéreuses. Cet examen ne requiert qu'un miroir et une lampe de poche. Installez-vous en position semi-assise, le dos appuyé contre des coussins, pliez vos genoux et placez le miroir de façon à bien voir votre vulve. En éclairant le miroir avec la lampe de poche, vous pouvez observer facilement vos organes génitaux.

Recommandations des experts pour les mammographies de dépistage*

Pour les femmes ne représentant pas de masse palpable ou de signes cliniques de lésion mammaire :

- une première mammographie dite « de base » entre 35 et 40 ans. Cette mammographie, qui permet de définir la consistance normale du sein, servira de référence pour des comparaisons ultérieures ;
- entre 40 et 49 ans, une mammographie tous les deux ou trois ans, tout dépendant du risque ;
- après 50 ans, une mammographie tous les 18 ou 24 mois ;
- après 69 ans, une mammographie tous les trois ou cinq ans.

Il faut aussi soumettre à la mammographie les femmes présentant les anomalies suivantes :

- une tumeur palpable ;
- un écoulement spontané du mamelon ;
- une asymétrie ou un eczéma du mamelon ;
- des changements dans la consistance de la peau (rougeur, pli, œdème, ulcère) ;
- une nouvelle douleur persistante ;
- une maladie fibrokystique sévère ;
- des antécédents familiaux de cancers du sein après 40 ans ;
- un premier cancer du sein traité par tumorectomie.

---

* Selon la Société canadienne du cancer, Le groupe de travail canadien sur l'examen médical périodique et le *U.S. Preventive Services Task Force.*

- Observez la vulve : elle est recouverte de poils de longueurs et de couleurs variables. Les grandes lèvres sont les deux replis de peau, lisses et humides à l'intérieur, qui recouvrent les autres parties de la vulve. Les petites lèvres entourent le vagin et à leur jonction supérieure se trouve le clitoris. La forme de la vulve varie d'une femme à l'autre selon la configuration des petites et des grandes lèvres.

- Normalement, on ne peut pas voir les glandes vulvaires, c'est-à-dire les glandes de Bartholin, qui se trouvent au niveau des grandes lèvres, les glandes sébacées, qui fabriquent le sébum qui lubrifie le poil, et les glandes sudoripares, qui sécrètent la sueur. Cependant, leurs sécrétions ont une odeur spécifique. S'auto-examiner signifie aussi se familiariser avec ses sécrétions vaginales et apprendre à déceler un changement dans leur odeur, leur couleur ou leur consistance. Une inflammation de ces glandes peut provoquer une altération dans la couleur de la peau et le volume des lèvres. La douleur durant la marche ou les rapports sexuels (dyspareunie) fournit un autre indice important.

- Le clitoris, qui a la forme d'un petit pois, comprend le gland, le capuchon et la hampe. Comme chez l'homme, le gland est la partie la plus sensible du clitoris en raison des nombreuses terminaisons nerveuses qui s'y trouvent.

- À mi-chemin entre le clitoris et l'ouverture du vagin, on peut apercevoir l'ouverture minuscule de l'uretère, appelée « méat urinaire ». C'est l'orifice par lequel s'écoule l'urine qui provient de la vessie. Sa présence dans cette zone explique le lien entre l'activité sexuelle et les infections urinaires.

- Vous pouvez maintenant, en introduisant un ou deux doigts dans le vagin, sentir les parois du vagin, lisses et humides. Au fond du vagin, vous pouvez aussi toucher le col de l'utérus, la seule partie de l'utérus qui soit visible avec un spéculum et qui puisse être touchée avec les doigts. Le col de l'utérus a la forme d'un bouton de trois à quatre cm, de consistance lisse et souple rappelant celle des lèvres.

Cet auto-examen ne devrait pas être négligé, car il permet de relever tout changement affectant les organes génitaux externes et de détecter précocement un cancer de la vulve ou du vagin. Toute modification dans l'apparence des organes génitaux ou des sécrétions vaginales requiert une consultation gynécologique immédiate.

La dépistage du cancer colorectal

Le cancer colorectal demeure l'une des principales causes de mortalité dans le monde occidental. Au Canada, on a estimé à 16 000 le nombre de nouveaux cas et à 6 300 le nombre de décès dus à ce cancer en 1995. On estime à l'heure actuelle qu'un Canadien sur 25 sera atteint d'un cancer colorectal au cours de sa vie. Le cancer colorectal arrive en effet au deuxième rang des cancers au Canada. Dans environ 72 % des cas, les organes atteints sont le côlon sigmoïde et le rectum (Figure 22). L'incidence de cette maladie commence à augmenter à partir de 40 ans pour atteindre un taux maximal entre 60 et 75 ans. Ce type de cancer est très sérieux (le taux de survie de cinq ans n'atteint que 30 %) car le traitement a peu évolué au cours des dernières années.

Parmi les facteurs de risque de cancer colorectal, on peut mentionner des facteurs familiaux et génétiques et peut-être aussi un faible niveau d'activité physique, la consommation d'alcool, une alimentation riche en matières grasses et en viande et pauvre en fibres et en légumes. L'âge constitue aussi un facteur de risque étant donné que moins de 2 % des cas surviennent chez les personnes de moins de

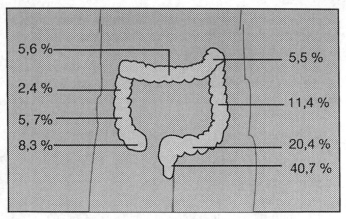

Figure 22. *Fréquence du cancer du colorectal selon la région atteinte*

40 ans. À 50 ans, le risque de cancer colorectal est de 18 à 20 fois plus élevé qu'à 30 ans, et il continue à doubler aux sept ans environ.

La découverte du cancer colorectal à un stade très précoce fait espérer la guérison, mais plus tardivement les chances s'amenuisent considérablement. Ce cancer peut même être évité si l'on découvre à temps les signes précliniques, c'est-à-dire la présence de polypes. Il s'agit de tumeurs bénignes qui se développent sur la paroi du côlon ou du rectum. En général, de 3 % à 5 % seulement des polypes dégénèrent en cancer. Les techniques de visualisation de ces lésions permettent d'en apprécier le nombre, les dimensions et le statut cancéreux :

- Dans 90 % des cas, les polypes n'atteignent jamais la taille de 1 cm, et avant ce stade, leur transformation cancéreuse demeure exceptionnelle ;
- Par ailleurs, plus de 30 % des polypes de plus de 1 cm risquent de donner naissance à un cancer.

Ceci implique qu'un dépistage systématique organisé des personnes à risque permet l'établissement d'un diagnostic très précoce. La détection rapide des polypes et leur élimination systématique freine l'apparition d'environ 80 % des cancers du côlon et du rectum.

La coloscopie ou colonoscopie permet au spécialiste de visualiser directement sur un écran (grâce à une microcaméra placée à l'extrémité de l'endoscope introduit par l'anus) la paroi du côlon et du rectum, d'identifier la présence de polypes ou d'un cancer, d'effectuer des prélèvements (biopsies) et, dans certains cas, de retirer les polypes.

L'examen histologique du prélèvement permet ensuite d'identifier le type de polype et, le cas échéant, de confirmer la présence d'un cancer. Cet examen délicat qui s'étend sur plusieurs heures nécessite une préparation minutieuse. Pratiquée sous anesthésie de courte durée, cet examen permet de détecter environ 70 % des polypes et des cancers colorectaux.

La majorité des experts estiment que tout individu de plus de 50 ans devrait se soumettre à deux colonoscopies successives, à un an d'intervalle. Pour les personnes à risque (histoire familiale de cancer du côlon, antécédent personnel de colite ulcéreuse ou polypes adénomateux), ces deux premières colonoscopies devraient être pratiquées dès l'âge de 40 ans.

Si ces deux examens ne révèlent aucune lésion, une colonoscopie tous les cinq ans est jugée suffisante. Par contre, en présence de polypes ou de cas de polypose familiale (gène APC sur le chromosome 5), on recommande au patient de subir **un examen tous les ans**.

La recherche annuelle de la présence de sang occulte dans les selles (ou épreuve Hémoccult) : Hémoccult est un test simple, indolore, peu coûteux et sans danger. C'est un réactif chimique qui détecte la présence invisible de sang (provenant de la partie basse du tube digestif – côlon et rectum) dans les selles. Hémoccult n'est pas un acte de diagnostic mais une attitude préventive, un « moyen de dépistage du cancer » scientifiquement reconnu. L'épreuve elle-même peut être effectuée dans le cadre d'un dépistage ou d'une surveillance des sujets à risque. Pour une plus grande précision, le patient doit adopter un régime riche en fibres et exempt de viande rouge pendant les trois jours qui précèdent l'examen des selles. La fiabilité de cette technique varie de 50 % à 97 % selon les laboratoires. Des résultats positifs commandent une exploration complémentaire (coloscopie ou sigmoïdoscopie associée à un lavement baryté) pour préciser le diagnostic d'un cancer colorectal. Attention, certains médicaments peuvent provoquer une irritation et un saignement pouvant fausser les résultats (aspirine, corticoïdes, etc.).

Ce test ne constitue pas un outil de diagnostic précoce, mais il permet de sélectionner, parmi les personnes ne présentant aucun symptôme particulier, celles qui ont besoin d'une exploration complémentaire. Une récente étude portant sur des sujets choisis au hasard a montré une diminution de la mortalité de l'ordre de 30 % chez un groupe de personnes asymptomatiques à qui l'on avait proposé une recherche annuelle de sang dans les selles[8].

La détection précoce du cancer de la prostate

Le cancer de la prostate et sa détection précoce suscite un intérêt accru depuis le début des années 1990. Ce cancer représente 22 % des affections malignes de l'homme et se classe au troisième rang pour le nombre d'années potentielles de vie perdues. Bien que la cause de ce cancer demeure inconnue, on sait maintenant qu'il est hormonodépendant, que son évolution est très lente et qu'il peut rester « silencieux » longtemps. La période où le risque est le plus élevé se situe entre 60 et 70 ans. Des études nécropsiques indiquent que la prévalence de cancer prostatique s'établit à environ 20 % à l'âge moyen de 50 ans et à 43 % à l'âge de 80 ans. D'où l'expression fréquemment entendue « plus d'hommes meurent avec un cancer de la prostate que d'un cancer de la prostate ». Cette expression donne à entendre que le cancer de la prostate est souvent découvert fortuitement, particulièrement chez les sujets plus âgés, et qu'il n'est pas nécessairement une cause importante de morbidité et mortalité. Malheureusement, dans plus de la moitié des cas, le cancer de la prostate a déjà donné des métastases osseuses au moment du diagnostic : il est alors trop tard pour le guérir. Il importe donc de recourir à des méthodes fiables permettant le dépistage à un stade précoce et un traitement adéquat. Dans ces cas, le taux de survie de 10 ans dépasse 90 %.

Le toucher rectal, la méthode la plus simple de détection précoce, permet de découvrir des tumeurs peu évoluées. La prostate, petite glande située à la sortie de la vessie, est normalement mobile, granuleuse et contient deux lobes (2 cm sur 3 cm) de consistance souple et régulière, séparés par un sillon médian (Stade A). **On reconnaît facilement le cancer à l'induration qu'il provoque.** Au toucher rectal, une prostate nodulaire, dure et irrégulière est signe de cancer (Figure 23). Lorsque celui-ci est découvert très tôt, il prend encore la forme d'un noyau isolé bien individualisé, dont il est facile de faire la biopsie (Stade B). Dans les stades plus avancés

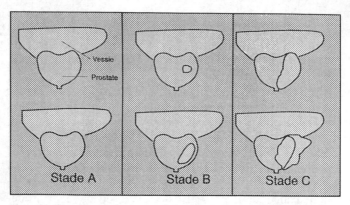

Figure 23. *Classification des cancers de la prostate. Cancer préclinique (Stade A), noyau isole, cancer précoce (Stade B) et stade avancé (Stade C)*

(Stade C), le cancer déborde de la capsule de la prostate ou atteint les vésicules séminales et les structures adjacentes, formant une masse fixe. Puisque seules les parties postérieures et latérales de la prostate sont accessibles au toucher rectal, entre 40 % et 50 % des cancers échappent à ce type de dépistage. La sensibilité et la fiabilité d'examens répétés varient entre 33 % et 58 %, et 96 % et 99 %, respectivement, et semblent liée à l'expérience du praticien; et certaines observations donnent à entendre que la valeur prédictive positive du toucher rectal est plus élevé si l'examen est pratiqué par un spécialiste, par exemple, un urologue) que par un médecin de famille.

Lorsque le toucher rectal fait soupçonner un cancer de la prostate, on peut pratiquer une **échographie par voie rectale**, technique qui permet la détection de ce type de cancer. Toutefois, cette technique coûteuse exige une grande expertie et sa fiabilité, qui varie entre 67 % et 86 %, la rend peu sûre pour la détection précoce du cancer de la prostate.

Le dosage de l'antigène prostatique spécifique (APS) constitue une percée importante dans l'utilisation des marqueurs biochimiques pour la détection du cancer de la prostate. Le principal avantage de cette technique par rapport au toucher rectal réside dans le fait qu'il permet de découvrir des tumeurs peu évoluées. Par ailleurs, cette technique permet d'identifier les patients à haut risque qu'il faudra ensuite examiner de plus près à l'aide de tests complémentaires (toucher rectal et échographie). Les associations canadiennes et américaines d'urologie recommandent l'utilisation de cet examen dans le dépistage du cancer de la prostate **chez tous les hommes âgés entre 50 et 70 ans et chez les hommes de plus de 40 ans ayant une histoire familiale de cancer de la prostate.**

L'auto-examen des testicules

Le cancer du testicule reste relativement rare, frappant habituellement l'homme jeune ou d'âge moyen (entre 20 et 40 ans). Exceptionnel avant la puberté ou chez le sujet âgé, ce cancer est 20 fois plus fréquent chez les hommes ayant présenté une cryptorchidie (testicule qui n'est pas à sa place à la naissance). C'est l'un des cancers les plus curables s'il est diagnostiqué précocement. Le taux de guérison atteint actuellement 95 %. Dans tous les cas, le signe d'alerte habituel est l'apparition, parfois douloureuse, d'une masse scrotale qui augmente progressivement de volume.

La palpation des bourses, chez un homme jeune, apparaît donc comme un acte indispensable au cours d'une consultation médicale. De plus, l'auto-examen régulier permet souvent la détection précoce de petites tumeurs qu'il est alors possible de traiter et de guérir. La surface complète des deux testicules doit être palpée avec le pouce (Figure 24), une intervention facile étant donné la mobilité de la peau qui recouvre les testicules.

L'auto-examen des testicules

On recommande à tous les hommes de 20 à 50 ans de palper délicatement chaque testicule une fois par mois au moment du bain. Tout changement de consistance ou de volume, et tout nodule (même indolore) appellent une consultation médicale immédiate.

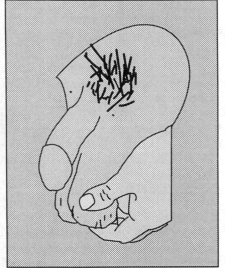

Figure 24. *L'auto-examen des testicules doit faire être intégré aux habitudes de vie saine et préventive*

Le frottis urinaire et le cancer de la vessie

Le cancer de la vessie n'est pas fréquent, mais son pronostic reste mauvais et son traitement impose une ablation complète de l'organe, car il est souvent diagnostiqué tardivement (présence de sang dans l'urine). Certains sujets sont particulièrement exposés à ce type de cancer : premièrement, les fumeurs (goudron du tabac) ; deuxièmement, les travailleurs manipulant des carcinogènes connus comme les colorants à l'aniline (coiffeurs, ouvriers du textile et de l'industrie chimique) ou certains produits chimiques utilisés dans la fabrication du caoutchouc ; et troisièmement, les personnes qui souffrent de calculs de la vessie. Le rapport hommes/femmes des incidences de cancer de la vessie est d'environ trois pour un. On peut détecter des lésions précancéreuses, des polypes, dont 5 % dégénèrent en cancer, et, surtout, un cancer *in situ*, c'est-à-dire encore strictement superficiel, grâce à un examen simple, non traumatisant : le frottis urinaire réalisé à partir du sédiment urinaire. Par ailleurs, le signal d'alarme peut être la présence de sang dans les urines ou une infection urinaire sans explication qui persiste. De la même façon, il est souhaitable de demander un diagnostic en cas de mictions fréquentes ou de douleurs du petit bassin. Décelé à temps, les possibilités de guérison sont bonnes.

L'échoendoscopie et les cancers du tube digestif et du pancréas

Relativement nouvelle, l'échoendoscopie permet d'explorer en profondeur la paroi digestive et les organes qui l'entourent, et de visualiser les lésions cancéreuses qui parsèment l'œsophage, l'estomac et le pancréas, ainsi que l'étendue des dommages causés à l'organisme. Cette technique fait appel à un endoscope classique muni à son extrémité d'un transducteur miniaturisé d'échographie, le tout jumelé à une console avec écran. Introduite en Europe en 1985, elle commence à peine à être utilisée en Amérique du Nord. Un grand nombre d'études ont démontré que l'échoendoscopie permet : 1) l'évaluation des tumeurs, c'est-à-dire celles qui sont recouvertes de muqueuse normale ; 2) l'évaluation des voies biliaires et la visualisation des cancers du pancréas et des glandes endocrines ; 3) la détermination du bilan d'extension avant la thérapie ; 4) la surveillance postopératoire ; 5) l'évaluation de la réponse au traitement chirurgical ; et 6) l'investigation approfondie des maladies rares de la paroi du tube digestif, particulièrement de l'estomac et de l'intestin. Dans ce contexte, le pronostic des cancers du tube digestif dépend de leur extension en profondeur et de l'envahissement métastatique, notamment au niveau des ganglions. L'échoendoscopie permet en outre la détection précoce de récidives sur le site de la tumeur.

La détection précoce des cancers de la peau

Il existe deux formes plus bénignes de cancer de la peau dont on ne meurt pratiquement jamais. Les cancers basocellulaires, les plus fréquents, sont circonscrits à une malignité locale. Les cancers spinocellulaires, deux fois moins fréquents, peuvent comporter des métastases et exiger, de ce fait, un traitement associant chimiothérapie et radiothérapie en complément d'une intervention chirurgicale. Il faut par ailleurs, distinguer ces deux types de cancers de la peau du mélanome malin (Figure 25). Cette tumeur extrêmement agressive produit des métastases très rapidement. Toutefois, dépisté de façon précoce, le mélanome, comme beaucoup d'autres maladies cancéreuses, peut en effet être traité dans de bonnes conditions. C'est seulement après avoir examiné son épaisseur et sa profondeur que le

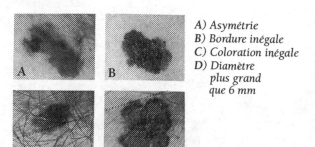

A) *Asymétrie*
B) *Bordure inégale*
C) *Coloration inégale*
D) *Diamètre*
   plus grand
   que 6 mm

Figure 25. *Les signes évoquant un cancer de la peau (Source : Société canadienne du cancer)*

médecin pourra établir le pronostic et prescrire un traitement approprié.

L'incidence du mélanome malin augmente de façon alarmante en Amérique du Nord (Figure 26). Au Canada, **elle a doublé en 15 ans**; le risque de développer un mélanome est actuellement de 1 sur 105, et, d'ici l'an 2000, on croit que un Canadien sur 90 sera touché.

Cette fréquence accrue s'explique par divers facteurs :

• Le vieillissement de la population en fait partie car, plus on avance en âge, moins la peau est susceptible de bronzer et plus le risque de cancer de la peau augmente. Ce phénomène est attribuable principalement à la diminution des mélanocytes, des cellules dont le nombre chute de 10 % tous les 10 ans.

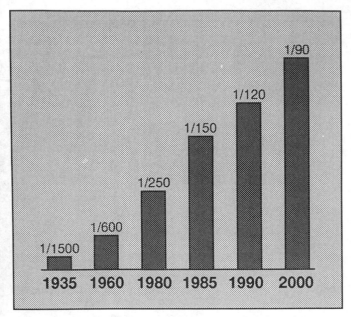

Figure 26. *Le risque de développer un mélanome augmente de façon alarmante en Amérique du nord. Depuis 1995, l'incidence a augmenté de 1250 % passant de 1/1500 à 1/90.*

- La raréfication de la couche d'ozone. En effet, l'ozone absorbe la partie la plus dangereuse du rayonnement solaire. Quand son bouclier est percé, la surface de la terre est irradiée par des rayons très agressifs ;

- Les expositions excessives et répétées (coups de soleil) aux rayons ultraviolets (UV), en particulier aux UVB (expositions solaires) et aux UVA (salons de bronzage). Les rayons UVB et UVA provoquent la formation de radicaux libres responsables des cassures de l'ADN. Ces cassures peuvent être mal réparées – ce d'autant plus que l'on avance en âge – et entraver le bon fonctionnement des cellules, accélérant de ce fait le vieillissement de la peau et provoquant des cancers.

Possèdent un risque accru de développer un mélanome les personnes qui :

- ont des antécédents personnels de cancer de la peau ;
- ont fait des coups de soleil de façon répétée ;
- sont de type caucasoïde (yeux blues, peau claire, chevelure blonde ou rousse)
- développent un grand nombre de tâches de rousseur ;
- possèdent ou voient apparaître un grand nombre de grains de beauté ;
- possèdent un grain de beauté de naissance de grande taille ;
- ont plusieurs personnes de leur famille qui ont développé un mélanome. En effet, le mélanome malin est héréditaire dans 10 % des cas ; on a récemment découvert que le gène impliqué dans ces cas est localisé sur le chromosome 9.

Gros plan sur les grains de beauté

Un grain de beauté normal :

- ne change pas dans le temps ;
- est noir ou marron, mais d'une seule teinte ;
- est de forme ovale ou ronde et son contour est nettement limité.

Un grain de beauté doit être montré à un médecin si :

- il vient d'apparaître ;
- il a récemment changé de taille, de forme ou de couleur ;
- sa couleur n'est pas uniforme et comporte un mélange de noir, marron, rouge et parfois blanc ;

- il a un diamètre supérieur à 6 mm.
- il a des contours déchiquetés et une forme irrégulière ;
- est entouré d'une inflammation de la peau environnante.

Le dépistage précoce d'un cancer de la peau repose donc sur une surveillance régulière de la peau afin de détecter toute nouvelle excroissance douteuse et toute modification d'un grain de beauté ou d'une tache de rousseur. Une plaie qui ne guérit pas en l'espace d'un mois peut aussi révéler la présence d'un cancer. Toute lésion suspecte doit être examinée par un dermatologue, qui recommandera son ablation chirurgicale, surtout si elle est située dans une région exposée au soleil ou aux traumatismes chroniques (sous la barbe ou la moustache).

L'examen de la cavité buccale et des cordes vocales

La bouche est le siège de nombreux cancers (5 % des cancers chez l'homme et à 2 % des cancers chez la femme) et certains facteurs favorisent clairement l'apparition de ces cancers. C'est le cas du tabac, de l'alcool et, surtout, de l'association explosive des deux. Combinés, ils représentent en effet une augmentation de risque de 15,5 (alors que ce risque est respectivement de 2,4 et de 2,3 lorsque tabac ou alcool sont consommés seuls). D'ailleurs, moins de 2 % des personnes atteintes de ces pathologies sont non-fumeuses. Le port de prothèses dentaires, lorsqu'il est accompagné d'une bonne hygiène buccale et régulièrement surveillé par un spécialiste, ne présente aucun risque particulier. Dans les cancers de la cavité buccale, comme dans toutes les pathologies cancéreuses, plus tôt se fait le diagnostic, plus le traitement a de chances de réussir et plus les thérapies lourdes et les chirurgies invasives seront limitées. C'est pourquoi, sans pour autant vivre dans une perpétuelle angoisse, il est important de surveiller sa bouche, ou en tout cas ne pas négliger les petits « bobos » qui ne guérissent plus. Un aphte se résorbe généralement en sept ou huit jours. Il ne doit pas déclencher une surveillance particulière. En revanche, la persistance d'une petite anomalie (plaque blanche un peu dure, zone rougie, point sombre, « verrue », etc.) à la lèvre, aux gencives, au palais, accompagnée ou non de douleur, doit conduire à consulter son dentiste. Il est le mieux placé pour décider si cette lésion nécessite des examens complémentaires. Par conséquent, l'auto-examen sous un bon éclairage à l'aide d'un abaisse-langue (ou du manche d'une cuillère) fournit des indications précieuses. Ce geste simple demande à être généralisé si l'on veut améliorer le diagnostic précoce des cancers de la bouche.

De plus, un examen annuel de la bouche par un médecin ou un dentiste est indiqué chez les femmes et les hommes de plus de 40 ans qui présentent des facteurs de risque connus(usage du tabac sous toutes ses formes et consommation régulière d'alcool). On déterminera dans chaque cas s'il faut effectuer une coloration au bleu de toluidine lorsque l'examen physique de la bouche donne des résultats positifs et s'il faut adresser le patient à un spécialiste pour une évaluation diagnostique plus approfondie.

Chez les grands fumeurs, les polypes s'installent sur les lèvres, les cordes vocales et la langue et constituent aussi des lésions précancéreuses souvent localisées dont on peut prévenir la dégénérescence en cancer en procédant à une simple ablation chirurgicale.

LE TRAITEMENT DU CANCER

Un traitement efficace doit être focalisé sur la tumeur primitive et ses métastases, qu'elles soient cliniquement

En résumé

♦ Toute femme doit se soumettre, à partir de 18 ans, à un examen gynécologique avec frottis vaginal tous les trois ans, et, à partir de 30 ans, il lui est fortement conseillé de pratiquer régulièrement l'auto-examen des seins. Passé 50 ans, les experts recommandent une mammographie tous les 18 mois.

♦ Tout homme doit, surtout à partir de 20 ans, s'autopalper les testicules. À partir de 50 ans, on recommande un toucher rectal tous les ans, surtout en présence de difficultés à uriner.

♦ Tout fumeur doit surveiller attentivement sa bouche, sa gorge, sa voix et ses expectorations.

♦ Hommes et femmes doivent, à partir de 50 ans, subir une première coloscopie, particulièrement en cas de prédisposition familiale.

♦ Une surveillance régulière de la peau est primordiale.

Pour détecter précocement le cancer, il suffit d'être attentif à son corps et de faire appel périodiquement au dépistage systématique des signes précurseurs de la maladie.

apparentes ou microscopiques. Chaque type de cancer nécessite un traitement particulier et, dans l'ensemble, des progrès importants ont été réalisés depuis une quarantaine d'années, notamment grâce aux approches multidisciplinaires (chirurgie, radiothérapie, chimiothérapie). Les greffes de moelle osseuse et les thérapies géniques prennent quant à elles un essor remarquable, et tout porte à croire qu'elles joueront désormais un rôle important dans le traitement d'un grand nombre de cancers.

Il ne faut pas oublier, lorsque l'on songe au traitement, l'importance d'une alimentation appropriée et de la maîtrise du stress psychologique. Une information adéquate sur la maladie et ses répercussions sur la santé, ainsi que le soutien social et familial s'avèrent également indispensables au succès du traitement.

La chirurgie oncologique

La chirurgie, la forme la plus ancienne de traitement du cancer, parvient à guérir un grand nombre de cancers encore au stade précoce : col de l'utérus, sein, vessie, côlon, prostate, larynx, endomètre, ovaire, cavité buccale, rein, testicule. Jusqu'au début des années quatre-vingt, les interventions chirurgicales lourdes impliquaient encore la pratique d'une incision suffisamment large pour y introduire une ou deux mains. Depuis, la technologie moderne a permis la conception de techniques plus sophistiquées comme la microchirurgie (particulièrement pour les cancers du tube digestif), la cryochirurgie et la chirurgie au laser ou à ultrasons (Figure 27).

Les effets indésirables de la chirurgie sont particulièrement rares, à l'exception des interventions au niveau de site particulièrement vulnérables, par exemple, la prostate. La prostatectomie peut être associée à: mortalité (à peine plus de 1 %) ; incontinence complète (7 %), et incontinence de toute nature (27 %); impuissance (32 % pour la prostatectomie faisant appel à une technique plus récente épargnant le nerf, mais pouvant atteindre 85 % avec d'autres techniques).

La chirurgie au laser repose sur l'utilisation d'un mince faisceau lumineux très puissant comme « bistouri optique » pour inciser les tissus atteints (tout en cautérisant au fur et à mesure les vaisseaux sanguins), ce qui se fait généralement sans endommager les tissus environnants. Le laser est

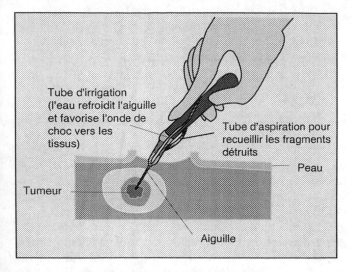

Figure 27. *Principe de la chirurgie à ultrasons. L'aiguille du bistouri, en vibrant à très haute fréquence sur une distance extrêmement réduite, détruit les tissus en provoquant des microcavités. L'avantage de cette technique réside dans sa très grande précision.*

utilisé pour traiter les cancers de la rétine, de la peau, du cerveau et, plus récemment, du sein.

La radiothérapie

Un chiffre d'abord : plus de la moitié des patients atteints d'un cancer sont soignés par radiothérapie. L'utilisation des radiations pour détruire les cellules cancéreuses a modifié le traitement et surtout le pronostic de la grande majorité des cancers. Cette technique a elle-même considérablement évolué, surtout depuis que l'on a substitué aux techniques classiques les radiations utilisant les sources dites « de haute énergie », par exemple les rayons gamma et les rayons X à haute fréquence produits par les accélérateurs nucléaires.

La radiothérapie classique utilise le bombardement de rayons X ou gamma, c'est-à-dire une **irradiation externe.** Les faisceaux ionisants sont dirigés sur la tumeur elle-même, limitant les dommages causés à la peau et les organes de voisinage (Figure 28, A). Ces rayons ionisants ont une action biologique sur la cellule tumorale : ils induisent des dommages dans son patrimoine génétique et détruisent sa capacité à réparer cette lésion. Elle meurt.

La curiethérapie (application de fils radioactifs au contact même de la tumeur) (Figure 28, B) est particulièrement adaptée au traitement du cancer du col de l'utérus, du sein,

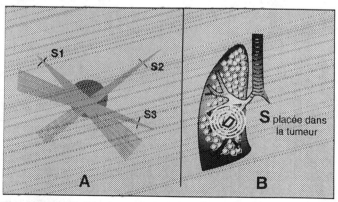

Figure 28. *En radiothérapie externe (A), les rayons provenant de la source (S1, S2, S3) atteignent simultanément la zone malade et les zones saines avoisinantes. En curiethérapie (B), seule la zone atteinte est soumise à l'action directe de la source radioactive, implantée au sein de la tumeur elle-même.*

du canal anal, ou encore des lèvres ou des oreilles. La curiethérapie présente l'immense avantage de libérer une dose massive, souvent constituée d'iridium 192 ou de césium 137, dans un endroit très précis. Elle offre aussi l'avantage de mobiliser les patients pour un temps de séance d'exposition de 35 à 40 minutes seulement et de faire disparaître la tumeur de façon durable. La curiethérapie requiert toutefois certaines précautions, notamment en matière d'isolation des chambres : d'importants travaux de protection permettant d'assurer la sécurité absolue des patients et du personnel technique sont donc nécessaires.

La radiothérapie est totalement indolore, et chaque séance ne dure que quelques minutes. Les effets secondaires, minimes, se limitent à des rougeurs localisées et à un épaississement de la peau et des tissus sous-cutanés. Toutefois, certains patients démontrent une sensibilité au rayonnement (fatigue, perte d'appétit, anémie) ou présentent des brûlures externes sur la peau irradiée. Il est très rare que cette sensibilité soit suffisamment importante pour nécessiter l'arrêt du traitement.

Nouvelles avenues en radiothérapie

La radiothérapie progresse surtout en améliorant la précision (mieux viser) du tir, ce qui permet d'augmenter les doses et d'épargner les tissus sains. Grâce à des ordinateurs, des techniques récentes d'imagerie médicale en trois dimensions et à un système de collimation (définition du faisceau) révolutionnaire, le radiothérapeute peut adapter parfaitement la forme du faisceau de rayon à la forme de la tumeur. L'efficacité de la radiothérapie se trouve ainsi accrue et les risques de rechutes diminués.

Pour les tumeurs résistantes aux rayons X et gamma, de nouvelles armes sont apparues, utilisant des radioéléments plus « durs » : les neutrons et les protons. La **neutrothérapie** vient à bout de certains cancers des tissus mous et des glandes salivaires. La **protonthérapie**, apparue plus récemment, permet des « tirs » de rayons d'une plus haute précision encore : les protons libèrent leur énergie au coeur même de la cellule cancéreuse et épargnent les tissus sains. Une telle technique est irremplaçable dans le traitement des tumeurs situées près des organes vitaux et fragiles comme l'oeil. On commence à l'appliquer pour les tumeurs proches de la moelle épinière. Rapide, extrêmement précis, le traitement par protons est totalement indolore. La patient reçoit en quatre séances, une dose de 15 grays, soit l'équivalent de six semaines de radiothérapie classique.

Quelques conseils pratiques pour prévenir les effets secondaires de la radiothérapie

- Reposez-vous et, surtout, ménagez vos forces pendant la durée du traitement.
- Évitez toute activité physique intense. Occupez plutôt vos loisirs par des activités plus tranquilles, comme la marche, l'artisanat et la lecture.
- Évitez de prendre des somnifères sans autorisation médicale.
- Variez votre menu en adoptant un régime alimentaire équilibré. Cela est particulièrement important pour reprendre des forces et réparer les cellules endommagées[9].
- Évitez d'exposer la région traitée au soleil ou au froid. aussi aux irritations de la peau : pas de savon, de cosmétiques, de parfum, d'onguent, de lampe solaire ou de bouillotte sur la région irradiée.

Les médicaments antinéoplasiques

Un médicament **antinéoplasique** idéal détruirait les cellules cancéreuses (ou arrêterait leur multiplication) sans provoquer d'effets indésirables ou toxiques sur les cellules normales. Malheureusement, un tel médicament n'existe pas. Le Tableau 5 illustre les différents types de médicaments antinéoplasiques, leur mode d'action ainsi que leur toxicité relative. La réponse à cette forme de thérapie varie selon le type de tumeur :

- bon nombre de cancers, comme la maladie de Hodgkin, les leucémies de l'enfant, les lymphomes, les cancers du testicule, les tumeurs de Wilms (forme rare de cancer du reins qui frappe les enfants) et certains sarcomes (cancers du tissu conjonctif), peuvent être complètement guéris grâce à la chimiothérapie.
- certaines tumeurs se soignent plutôt bien, particulièrement s'il est administré à un stade précoce de la maladie (cancers du sein, de l'endomètre et de l'ovaire, cancers de la prostate, cancers du poumon à petites cellules, certaines formes de leucémie, les myélomes multiples.
- d'autres types de cancers répondent mal : les cancers de la vessie, les cancers du poumon non à petites cellules, les cancers affectant la tête et le cou, les cancers de l'estomac, de la thyroïde et du cerveau, les mélanomes malins et les cancers du foie et du pancréas ; ainsi que les cancers du gros intestin, de l'œsophage et du rein.

La chimiothérapie

Les études multicentres ont permis d'améliorer plusieurs traitements chimiothérapeutiques. Les milliers de patients qu'il est souvent nécessaire d'évaluer pour vérifier l'efficacité d'un traitement justifient la réalisation d'études d'envergure internationale. Le traitement repose sur l'administration cyclique de doses optimales (calculées selon la surface du corps : hauteur x poids), le nombre de cycles dépendant de plusieurs paramètres dont le type histologique du cancer, la réponse du patient au traitement, le but du traitement (palliatif ou curatif) et, surtout, la tolérance de l'organisme.

Plusieurs études cliniques ont clairement démontré que :

* la combinaison de plusieurs agents de chimiothérapie produit un taux de réponse plus élevé qu'un seul agent, malgré une toxicité accrue.

* une chimiothérapie précoce lancée avant d'entreprendre une chirurgie permet de réduire la tumeur et de faciliter le geste du chirurgien. Si bien qu'une tumeur considérée comme trop grosse autrefois est aujourd'hui réduite par chimiothérapie et devient ainsi opérable.

* un traitement chimiothérapeutique précoce, immédiatement après la chirurgie (traitement adjuvant), permet de réduire le risque de rechute de 20 % à 40 %.

* lorsque associée aux rayons X, la chimiothérapie permet de doubler, voire de quadrupler, les chances de guérison. Malheureusement, l'emploi des médicaments chimiothérapeutiques est limité par leur toxicité ; cette toxicité s'exerce en particulier sur le sang et les tissus hématopoïétiques (où se forment les différentes cellules du sang). Aussi sont-ils utilisés sous surveillance médicale très stricte, une surveillance qui implique de fréquents contrôles : a) du nombre de globules blancs ; b) du nombre de plaquettes ; c) de la fonction rénale ; et d) de la fonction hépatique. En effet, une diminution du nombre de ces cellules dans le sang peut provoquer une anémie, des infections (lorsque le nombre de polynucléaires est

TABLEAU 5.

PRINCIPAUX MÉDICAMENTS ANTINÉOPLASIQUES : MÉCANISMES D'ACTION ET TOXICITÉ

Classe	Mécanisme d'action	Cancer habituellement sensible	Toxicité
Agents alkylants • Chlorambucil • Cyclophosphamide • Melphalan	Introduction dans l'ADN des radicaux chimiques « alkyles » qui les bloquent	Hodgkin, poumon, sein testiculaire, LLC	Alopécie à fortes doses, nausées et vomissements, myélosuppression, cystite hémorragique, azoospermie, mutagénèse, stérilité permanente possible
Antimétabolites • Méthotrexate	Bloque l'acide folique	Choriocarcinome, tête et cou, LLC, ovaires, lymphomes	Ulcérations muqueuses, myélosuppression, toxicité augmentée en cas d'ascite ou d'insuffisance rénale
• 5-Fluorouracil (5-FU)	Bloque les purines	Ostéosarcome, sein et colon	Alopécie, myélosuppression, diarrhées et vomissements, hyperpigmentation
• Cytarabine	Inhibe l'ADN polymérase	Leucémies aiguës et lymphomes	Myélosuppression, nausées et vomissements, toxicité conjonctivale à fortes doses, éruption cutanée
Alcaloïdes végétaux • Vinblastine • Vincristine	Arrêt de la division cellulaire	Lymphomes, leucémie, sein, sarcome d'Ewing, testicule	Alopécie, myélosuppression, neuropathie périphérique, iléus
Antibiotiques • Doxorubicine	Intercalation entre les brins d'ADN	Leucémie aiguë, sein, poumon, Hodgkin, lymphomes	Nausées et vomissements, myélosuppression, alopécie, toxicité cardiaque
• Bléomycine	Incision des brins d'ADN	Épithélioma, testicule, poumon	Frissons et fièvre, éruption cutanée, fibrose pulmonaire
• Mitomycine	Inhibition de la synthèse d'ADN	Côlon, estomac, sein, poumon, vessie	Alopécie, myélosuppression, léthargie, fièvre, syndrome hémolytique urémique

Nitrosourée			
• Carmustine	Alkylation de l'ADN	Tumeurs cérébrales	Myélosuppression
• Lomustine	Carbamylation des acides aminés des protéines	Lymphomes	Toxicité pulmonaire (fibrose), toxicité rénale
Ions inorganiques			
• Cisplatine	Inter et intracalation des brins d'ADN	Cancers du poumon (en particulier à petites cellules), testicule, sein et estomac, lymphomes	Anémie, toxicité, neuropathie périphérique, myélosuppression
Immunothérapie			
• Interféron	Effet antiproliférant	Leucémie, LMC, lymphomes, Kaposi (SIDA), reins, mélanome	Fatigue, fièvre, myalgies, arthralgie, myélosuppression
• IL-2	Immunostimulation		
Hormones			
• Tamoxifène	Se lie au récepteur des oestrogènes	Cancer du sein	Bouffées de chaleur, hypercalcémie, thrombose veineuse profonde, cancer de l'utérus
• Flutamide	Se lie au récepteur des androgènes	Cancer de la prostate	Diminution de la libido, bouffées de chaleur, gynécomastie

LLC = Leucémie lymphoïde chronique, LLA = Leucémie lymphoïde aiguë, LMC = Leucémie myéloïde chronique

inférieur à 1 000/ µL) et des hémorragies (lorsque le taux de plaquettes est inférieur à 20 000/ µL).

Pour éviter les **hémorragies et les saignements**, veillez à protéger votre peau, notamment en évitant les activités physiques violentes, ainsi que votre muqueuse buccale, en vous abstenant de consommer des aliments irritants.

Les cellules qui tapissent le **tube digestif** constituent des cibles très vulnérables à la chimiothérapie ; dans la majorité des cas, les troubles consécutifs au traitement se traduisent par une perte d'appétit, une altération du goût, une anorexie, des inflammations de la bouche avec ulcérations, des nausées et des vomissements ou des diarrhées.

Les nausées et vomissements souvent associés aux agents chimiothérapeutiques peuvent par ailleurs être fonctionnels (c'est-à-dire non associés à un processus pathologique) ou relever de facteurs psychosociaux. Une bonne communication avec l'équipe médicale et la conception d'un plan efficace de soins favoriseront la maîtrise de ces symptômes. À la disposition des cancérologues depuis le début des années quatre-vingt-dix, les anti-émétiques (comme **le zofran ou le nabilone**) ont littéralement transformé le vécu des patients, pour lesquels nausées et vomissements représentaient les effets secondaires les plus handicapants et les plus désagréables de la chimiothérapie. Toutefois, la cause sous-jacente doit être déterminée et corrigée, car c'est elle qui guide le choix de l'antiémétique le plus approprié.

De plus, observez à quels moments de la journée ces symptômes sont les plus fréquents et suivez les quelques conseils qui suivent :

• Évitez de manger (ou de cuisiner) à l'heure où vos nausées surviennent habituellement.

Voici quelques conseils pratiques qui vous aideront, en cas de traitement chimiothérapeutique, à prévenir les infections

- ◆ Évitez les sources potentielles d'infection, par exemple les personnes atteintes de maladies contagieuses ou vaccinées depuis peu, les animaux (surtout leurs excréments), l'eau stagnante dans un vase à fleurs ou dans l'humidificateur.
- ◆ Soyez très vigilant (prenez votre température chaque jour à la même heure) et avertissez votre médecin traitant au premier signe d'infection.
- ◆ Veillez constamment à votre hygiène corporelle.
- ◆ Humidifiez l'air ambiant ; ajoutez une cuillerée (1 ml) de vinaigre par litre d'eau dans votre humidificateur.
- ◆ Favorisez la cicatrisation rapide de toute blessure.
- ◆ Adoptez une alimentation variée et équilibrée.
- ◆ Ménagez vos forces.
- ◆ Favorisez le bon fonctionnement de votre appareil urinaire en buvant beaucoup d'eau.

- Évitez la friture, les aliments gras ou ceux qui dégagent une odeur forte (bacon, chou, oignon, poisson) ; réchauffez les aliments à basse température afin qu'ils dégagent moins d'odeurs ; ou encore, atténuez l'odeur de la viande en utilisant des bouillons.

- Mangez plus d'aliments froids (gelées de fruits, crèmes renversées, nourriture pour bébés que vous aurez fait givrer en la mettant cinq minutes au congélateur, etc.).

- Limitez votre consommation de produits irritants, comme la caféine, l'alcool et les épices.

- Buvez beaucoup de liquide, à petites gorgées.

- Consommez régulièrement des fruits et des légumes cuits à la vapeur, du poisson et de la volaille.
- Commencez la journée en mangeant des aliments secs, comme du pain grillé ou des craquelins. Ne buvez pas en mangeant. Attendez au moins une heure après le repas pour prendre des liquides.
- Dans les cas plus sérieux, demandez à quelqu'un de préparer le repas et éloignez-vous de la cuisine.

L'altération du goût se traduit essentiellement par l'absence de perception des saveurs. Elle s'accompagne souvent d'un goût métallique ou amer constant dans la bouche. On peut masquer ce goût à l'aide de fruits, de gomme à mâcher sans sucre, de limonade, ou en relevant les mets fades au moyen de marinades, de fines herbes ou de jus de citron. Il faut aussi rechercher les aliments à saveur prononcée : bacon, jambon, bœuf mariné (au vin ou au jus de fruits), poulet barbecue, mets au cari, pizza, etc.

Les ulcères de la cavité buccale, causés par la chimiothérapie, sont très douloureux et requièrent fréquemment des traitements de Citrovorium (leucovorine de calcium). Ce médicament, souvent administré sous forme de rince-bouche, ne compromet pas l'efficacité de la chimiothérapie. Le patient s'aidera en adoptant une hygiène buccale méticuleuse et en prêtant attention à la texture des aliments consommés ; il aura intérêt à favoriser les pommes de terre en purée, les œufs pochés, le tofu, les crèmes renversées, les fromages à tartiner, le lait battu avec un œuf, les soupes à la crème, le macaroni au fromage, et autres mets de consistance lisse.

La chute des cheveux (alopécie). Souvent vécue comme un traumatisme par de nombreux patients, hommes comme femmes, l'alopécie peut être progressive ou brutale, partielle ou généralisée. L'importance de la chute de cheveux est fonction du type, de l'intensité et de la durée du traitement administré (Tableau 5). Mais la chute des cheveux n'est que transitoire : la repousse survient dès la fin du traitement.

Quelques conseils pratiques pour en ralentir le processus ou pour en masquer l'effet

- Évitez de brosser vos cheveux vigoureusement.
- Portez un filet à cheveux pour dormir.
- Évitez les séchoirs électriques, les rouleaux à mise en plis et les fers à friser
- Portez des chapeaux, des foulards et un turban façon drapé (certains sont dotés de mèches de cheveux artificiels). Bien harmonisés aux vêtements, ces accessoires attrayants camouflent facilement l'alopécie, en plus d'ajouter une touche personnelle à votre tenue vestimentaire.
- Une perruque bien choisie (sur le conseil d'un coiffeur ou d'une amie disponible) avant le début des traitements et portée **avant même** la chute des cheveux sera beaucoup plus facile à accepter. Ne rompez pas brutalement avec votre style, votre couleur et votre coupe habituelle. Évitez les cheveux longs car la coiffure perd très vite sa tenue : préférez le court ou le mi-long. Choisissez une perruque en fibre synthétique, qui aura un aspect plus léger, plutôt qu'une perruque faite en cheveux naturels (soit des cheveux morts, donc sans tenue). Évitez également de choisir des cheveux tirés très en arrière, qui laissent le front dégagé.

Les fonctions de la reproduction (irrégularités du cycle menstruel, interruption des règles ou apparition de bouffées de chaleur chez la femme, azoospermie ou impuissance chez l'homme) sont également altérées par la chimiothérapie. Toutefois, une grossesse demeure toujours possible en dépit de l'interruption du cycle menstruel. Il est donc fortement recommandé d'utiliser un moyen de contraception efficace (contraception barrière), car les effets de la chimiothérapie sur le fœtus peuvent se révéler extrêmement néfastes, se traduisant notamment par des malformations congénitales sévères. On peut envisager une grossesse si le cycle menstruel reprend son cours normal, mais seulement après consultation auprès d'un spécialiste.

La sexualité et les relations sexuelles

Il faut tout d'abord préciser que c'est surtout les traitements antinéoplasiques et non le cancer lui-même qui peuvent perturber la sexualité et les relations sexuelles ou même engendrer certaines difficultés sexuelles d'ordre physique ou psychologique. Par ailleurs, l'anxiété, la peur de la solitude, la douleur peuvent aussi provoquer une baisse d'intérêt et de désir sexuel de la personne atteinte de cancer. Les traitements de chimiothérapie peuvent affecter les organes génitaux causant impotence et diminution du libido, le désir sexuel et la sexualité. Le niveau de ces atteintes dépend du type de drogues utilisées, de la dose et de la durée du traitement ainsi que de l'âge de la personne traitée. Toutefois, ces effets secondaires disparaissent graduellement après l'arrêt du traitement.

Nouvelles avenues dans le domaine de la chimiothérapie

Depuis le début des années quatre-vingt-dix, des dizaines de nouvelles molécules ayant des mécanismes d'action originaux ont été commercialisées et permettent de faire évoluer, en mieux, la qualité des chimiothérapies. Ces médicaments ne se contentent pas d'élargir la gamme offerte en cancérologie, ils permettent aussi de varier les traitements, de remplacer par une autre molécule qui se montre défaillante ou dépassée. D'autres part, les chercheurs continuent d'améliorer leurs techniques, mais s'attaque aussi au problème de manière radicalement différente. Plusieurs études visent ainsi à rendre le traitement moins nocifs.

- **La promesse des toxoïdes**. Parmi les nouveaux médicaments faisant l'objet d'essais cliniques, le **paclitaxel** (Taxol), extrait de l'if du Pacifique et du Québec, représente une avancée décisive dans le domaine de la chimiothérapie. Des études préliminaires indiquent que le Taxol réduit le volume des tumeurs dans plusieurs types de cancer métastatique du poumon, de l'ovaire et du sein. Des essais cliniques de phase II effectués auprès de 2 500 patients à travers le monde dont 220 au Canada, évaluent l'efficacité du Taxotère (Docetaxel), un composé semi-synthétique apparenté au Taxol, sur le cancer du sein et du poumon. Plusieurs centres québécois participent à cette étude, dont l'hôpital Laval de Québec et l'Hôtel-Dieu de Montréal. Les premiers résultats indiquent une amélioration de l'état de santé de 56 % des femmes atteintes de cancer du sein et de 30 % de celles qui sont atteintes de cancer du poumon. Une autre étude américaine sur le cancer de l'ovaire a démontré que l'association Taxol et sels de platine permet d'augmenter de 13 mois (soit de 50 %) la médiane de survie des patientes et de diminuer considérablement la taille de la tumeur dans plus de 73 % des cas,
- **L'association taxol et sels de platine.** Selon une étude réalisée à Atlanta (Georgie) sur environ 400 patientes, un nouveau traitement en chimiothérapie combinant deux agents, le taxol et les sels de platine, permet d'augmenter la durée moyenne de survie des patientes et une réduction de la taille de la tumeur dans 73 % des cas.
- **Les camptothécines** et le traitement du cancers ovariens : Le FDA américain vient de donner son feu vert à la mise sur le marché d'un médicament anti-

tumoral d'une nouvelle génération destiné aux patientes atteintes de cancers ovariens résistants à la chimiothérapie. Le Hycamtin (Topotecan) est fabriqué par SmithKline Beecham et fait partie d'une nouvelle génération de médicaments appelés camptothécines, qui agissent en inhibant une enzyme associée à une forme mortelle de ce type de cancer.

• Toute nouvelle en matière de chimiothérapie, la **pompe programmable** (Figure 29) constitue un progrès fondamental. Il suffit de quelques manipulations simples pour décider de la dose du médicament qui va être injectée, pendant combien de temps et, surtout, à quelle heure. Cette nouvelle avenue ouvre la voie d'une chimiothérapie moins toxique (diminution de la fréquence des aphtes et de la neutropénie) et plus efficace (réduction de la masse tumorale dans un plus grand nombre de

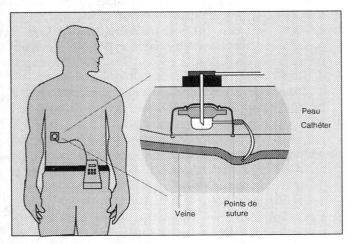

Figure 29. *La pompe à chimiothérapie (mode d'emploi)*

cas). Par ailleurs, elle permet aux patients de poursuivre leurs traitements sans être hospitalisés.

- **Choisir le plus court chemin :** Plusieurs équipes d'oncologie ont démontré que, dans le cas du cancer de l'ovaire et celui de la vessie , il est préférable d'injecter les médicaments directement dans le ventre (cancer de l'ovaire) ou de la vessie (cancer de la vessie) plutôt que par voie intraveineuse qui les fait cheminer à travers l'ensemble de l'organisme.

- **L'électrochimiothérapie** associe l'injection d'un agent chimiothérapeuti-que (la bléomycine, par exemple) à l'administration d'impulsions électriques directement sur la tumeur. L'exposition des cellules à des pulsions électriques rend la membrane cellulaire perméable et permet la pénétration de la drogue plus librement à l'intérieur de la cellule.

L'hormonothérapie

L'évolution du cancer peut être influencée par un traitement endocrinien additif ou suppresseur ; par exemple, le DES (diéthylstilbestrol) sert de traitement palliatif du cancer de la prostate en en modifiant l'évolution naturelle. Par ailleurs, on administre couramment aujourd'hui un traitement combinant l'agoniste de la LH-RH (hormone qui inhibe la sécrétion d'hormones mâles par les testicules) et un antiandrogène (**le flutamide**), qui bloque les récepteurs des androgènes au niveau de la prostate. Utilisé au stade avancé, ce traitement prolonge la survie de plus d'une année. Au stade précoce, administré trois mois avant la chirurgie, il permet de circonscrire la tumeur dans plus de 92 % des cas, alors que, sans traitement préalable, seulement 66 % des tumeurs peuvent être retirées en totalité. Il faut ajouter ici que ce traitement équivaut à une castration et entraîne des modifications profondes de la sexualité (diminution de la puissance et désir sexuel). En effet, lorsque l'hormonothérapie est appliquée à l'homme, ces hormones stoppent la fonction testiculaire mais, moindre inconvénient, cet effet est réversible à l'arrêt du traitement.

Pour le traitement du cancer du sein, **le tamoxifène** (Nolvadex), administré en une seule dose de 20 mg par jour, constitue le traitement initial de choix pour les patientes présentant une tumeur contenant des récepteurs hormonaux positifs, les personnes plus âgées et celles qui, en général, sont à un stade peu avancé de la maladie (absence de métastases). Ce traitement ne doit pas être envisagé comme première thérapie chez les patientes plus jeunes dont le cancer, touchant surtout les organes internes, évolue rapidement. Chez les femmes préménopausées, l'ovariectomie (chirurgie ou irradiation) représente une alternative à considérer.

Le tamoxifène est administré pour une période de cinq ans. En ce qui concerne les inconvénients liés au tamoxifène, il faut dire tout d'abord qu'ils sont sans commune mesure avec les bénéfices qu'il procure. Il y a effectivement, dans certains cas, un risque d'épaississement de l'endomètre (le revêtement interne de la cavité de l'utérus), pouvant conduire à un cancer. Toutefois ce risque est estimé à deux à six cas pour 1 000 patientes traitées. C'est pourquoi les femmes qui sont traitées avec cette substance font l'objet d'une surveillance particulière, et doivent notamment passer une échographie ou une biopsie régulièrement (à tous les ans). Enfin, les femmes qui ont des antécédents de phlébites sont également suivies avec soin à cause du risque de thrombose.

Une patiente ayant bien réagi au tamoxifène une première fois et chez qui la maladie réapparaît des mois ou des années plus tard a environ 20 % de chances de répondre à une deuxième et à une troisième hormonothérapies. Le médicament employé lors d'une deuxième thérapie est habituellement le mégestérol (**Mégace**), administré en une dose unique quotidienne de 160 mg, alors qu'une troisième thérapie fera appel à l'aminoglutéthimide (**Cytadren**), à raison de 250 mg, trois fois par jour.

L'immunothérapie

De nombreuses observations semblent indiquer que, d'une part, le système immunitaire joue un rôle primordial dans le combat que livre l'organisme au cancer et que, d'autre part, les cellules tumorales présentent un profil antigénique particulier, différent de celui des cellules normales. Ces données suggèrent deux types de traitement immunologique : l'utilisation d'anticorps spécifiques contre les antigènes tumoraux et la stimulation des défenses immunitaires du patient (à l'aide de BCG, d'interféron, IL-2) ou d'autres agents immunothérapeutiques) pour que celui-ci tue lui-même son cancer. Plusieurs études soulignent le retour de l'immunothérapie dans le traitement de certains cancers :

- Injecté directement dans la vessie, **le BCG** (120 mg, une fois par semaine pendant six semaines) est efficace contre le cancer de la vessie, particulièrement le carcinome *in situ*.

- L'efficacité des **interférons** a été démontrée dans le traitement de certains types de leucémies, de myélomes, et de lymphomes non hodgkiniens, des cancers du rein et des mélanomes. De récents résultats ont démontré que la combinaison de chimiothérapie et interféron a permis de prolonger la survie des patients atteints de cancer du rein de plus de 15 mois. Les réactions toxiques comprennent des nausées, une alopécie, des leucopénies (diminution du nombre des leucocytes du sang), des frissons, de la fièvre et des douleurs et malaises.

- **L'IL-2**, une cytokine produite par les lymphocytes T activés, stimule la croissance des cellules T et leur capacité de tuer des cellules tumorales. Ces observations découlent d'essais cliniques d'immunothérapie réalisés chez les patients atteints d'un mélanome ou d'un cancer du rein. Par ailleurs, l'association IL-2 et interféron, a permis d'augmenter le taux de survie des patients atteints de cancer du rein d'environ 20 %. Les réactions toxiques sont très semblables à celles que produisent les interférons.

- **Les thrombopoïétines.** La lutte contre les effets négatifs des chimiothérapie – qui peuvent entraîner une diminution du nombre des plaquettes – semble elle aussi à un tournant, grâce aux thrombopoïétines. Essayées dans plusieurs centres de cancérologie à travers le monde, ces substances ont déclenché des remontées impressionnantes des plaquettes sanguines et ont été qualifiées « de grands pas e avant ».

La greffe de moelle osseuse

En règle générale, les cancérologues sont confrontés à un délicat dilemme : plus ils augmentent la dose d'un médicament, plus il est actif, mais aussi, plus il est toxique. À l'inverse, en diminuant la dose, la toxicité est réduite et la molécule est moins efficace. Pour contourner la difficulté, les médecins ont eu l'idée de prélever de la moelle osseuse, les cellules souches qui fabriquent les globules et les plaquettes, avant de traiter le patient et de lui réinjecter les cellules collectées et purifiées, une fois la chimiothérapie (ou la radiothérapie) intensive achevée.

Cette technique permet d'éviter les rechutes et, concernant les cancers du sein, de l'ovaire ou du testicule, elle représente un espoir énorme d'améliorer la survie. Ce type de traitement permet à l'heure actuelle de guérir un nombre important de maladies malignes du sang[10], en particulier les leucémies (Tableau 6).

La décision de recourir à la greffe dépend de plusieurs facteurs dont l'état général du patient, les particularités de la maladie dont il souffre (type de cancer, stade clinique), la présence d'autres maladies chroniques touchant le cœur, les poumons et le foie, et la présence d'une infection grave (tuberculose, MTS ou sida) ou moins grave (grippe, rubéole, etc.). Ces facteurs peuvent retarder ou même annuler la greffe de moelle.

Greffe de la moelle ou des cellules souches ?

Mises au point il y a quelques années seulement, les greffes de cellules-souches sont en passe de supplanter les greffes de moelle osseuse dans la lutte contre les cancers. Les oncologues préfèrent de plus en plus l'utilisation des seules cellules à capacité génératrice de la moelle osseuse et non d'ensemble de ses composantes, et les avis médicaux prônant cette méthode se multiplient. Cette technique consiste à trier les cellules de la moelle osseuse et à ne sélectionner, avant de les réinjecter, que les cellules-souches. Ces cellules jeunes et immatures sont capables de refabriquer les précieux globules blancs et les plaquettes, indispensables à la vie. Cette « sélection positive » permet d'éviter le traitement purificateur, nécessaire lors d'un prélèvement massif de moelle. Par conséquent, elle abolit les deux inconvénients majeurs de la greffe de moelle : le risque de tuer toutes les cellules, les saines comme les malignes, lors de leur « nettoyage » ou, au contraire, le danger de laisser

TABLEAU 6.
LES MALADIES QUE L'ON PEUT TRAITER PAR GREFFE DE MOELLE OSSEUSE[10]

Type de cancer	Particularités de la maladie	Taux de survie (3 ans)
Leucémie myéloïde chronique	Très stable au cours de la première année (phase chronique), elle devient par la suite plus agressive (phase accélérée et phase blastique). Il faut donc procéder à la greffe lorsque la maladie est en phase chronique. On pratique la greffe avec donneur, la greffe autologue n'étant pas disponible.	60 – 70 % (phase chronique) 40 % (phase accélérée) 15 % (phase blastique)
Leucémie myéloblastique aiguë	Les rechutes associées à cette maladie sont fréquentes et sévères. Les patients sont donc greffés dès la première rémission. La greffe autologue, avec déplétion sélective des cellules cancéreuses peut aussi être envisagée, mais les résultats sont moins bons	50 – 60 % (avec donneur) 40 – 45 % (autologue)
Leucémie lymphoblastique aiguë	La greffe avec donneur est pratiquée après la première rémission. La greffe autologue est également possible.	50 – 60 % (avec donneur) 35 – 40 % (autologue)
Aplasie médullaire	La greffe avec donneur doit être effectuée très rapidement car les complications à court terme sont sévères.	60 – 70 %

Myélome	La greffe avec donneur est indiquée pour les patients de moins de 55 ans dont l'état de santé général le permet.	50 %
Pré-leucémie	La greffe avec donneur donne d'excellents résultats. La greffe autologue n'est pas encore disponible.	60 %
Lymphome	La greffe permet de guérir les patients qui rechutent à la suite de traitements conventionnels. On a surtout recours à la greffe autologue, mais une greffe avec donneur est nécessaire dans certains cas.	45 – 50 %
Tumeur solide	La greffe présente une efficacité limitée dans les cas de tumeurs du poumon, du tube digestif et de mélanomes. Les résultats sont plus encourageants pour les neuroblastomes, les cancers de l'ovaire, certaines formes de sarcomes et tout particulièrement les cancers du sein.	

subsister dans la moelle qui va être réinjectée une ou deux cellules cancéreuses, avec conséquence probable un redémarrage de la maladie (rechute). De plus lors de la greffe de cellules-souches, le patient ne restera hospitalisé que trois semaines maximum, et parfois même, les prélèvements et injections sont effectuées « en ambulatoire ». Cette technique permet d'éviter les rechutes et, concernant les cancers du sein, de l'ovaire ou du testicule, elle représente un espoir énorme d'améliorer la survie.

La thérapie génique

La thérapie génique repose sur l'utilisation d'un ensemble de techniques qui permettent de recombiner des gènes pour former des chromosomes hybrides. Ceux-ci confèrent aux cellules qui les contiennent des propriétés nouvelles. Dans le domaine du cancer, cette thérapie permettra, dans un avenir encore lointain d'introduire dans le noyau de la cellule un nouveau gène pour remédier à l'insuffisance qualitative ou quantitative d'un gène altéré. Elle corrige ainsi avec exactitude l'anomalie d'un gène muté et peut éliminer l'expression d'un gène cellulaire ou viral. Mais agir sur le gène, c'est agir sur l'essence même de l'être, ce programme impitoyable et immuable qui nous lie à nos ancêtres aussi bien qu'à nos enfants. L'ADN gouverne ce que nous sommes et ce que nous faisons, ce qui explique l'engouement pour les thérapies géniques. Cette approche n'est toutefois pas sans soulever un certain nombre de questions éthiques incontournables.

Dans le domaine du cancer, la thérapie génique, contrairement aux thérapies conventionnelles (chirurgie, radiothérapie et médicaments antinéoplasiques), ne s'attache pas à détruire la tumeur. En faisant des gènes un médicament, elle vise à redonner à l'organisme les moyens de combattre les cellules cancéreuses, et elles seules, ce qui n'est pas le cas des traitements traditionnels.

- Par exemple, un virus (l'adénovirus) utilisé en thérapie génique pour transporter un gène commandant la fabrication de l'interféron humain a permis — sur des souris — la régression rapide de tumeurs cancéreuses du sein humaines implantées sur des rongeurs. Selon les inventeurs de cette approche, ce traitement pourrait constituer une nouvelle approche pour lutter contre diverses tumeurs, notamment les cancers du sein.

- Une autre approche, l'injection d'un gène de résistance au cancer, est également considérée comme « très prometteuse » par les chercheurs. De surcroît, les cellules ainsi « renforcées » deviendraient résistantes à l'un des principaux médicaments utilisés dans les chimiothérapies. Cette méthode pourrait être utilisée pour protéger des effets des médicaments anticancéreux les cellules-souches du sang. On pourrait ainsi limiter considérablement l'impact négatif des traitements sur le système immunitaire des patients.

Nouvelles avenues thérapeutiques

- Autre cible des cancérologues : **les récepteurs des facteurs de croissance des cellules cancéreuses.** Des chercheurs du centre Memorial Sloan-Kettering de New York, ont pour la première fois, démontré cliniquement que, en s'attaquant à ces récepteurs, on pouvait déclencher une activité antitumorale sur des cancers humains. Les chercheurs ont utilisé un anticorps qui a la propriété de s'accrocher à la cellule cancéreuse par ce type de récepteur et d'empêcher sa croissance.

- Enfin, la toute dernière stratégie pour détruire les tumeurs cancéreuses consiste à **empêcher la formation de nouveaux vaisseaux sanguins ou de bloquer les ceux déjà formés**. Plusieurs laboratoires testent, en effet, des produits dont la substance active obstrue les vaisseaux sanguins qui irriguent la tumeur. Ces substances agissent en deux temps. D'abord, interviennent les anticorps en identifiant, sur les parois internes des vaisseaux desservant les tumeurs, des antigènes spécifiques, normalement absents des tissus sains. Puis une seconde substance s'attaque à la paroi de ces vaisseaux. Le processus de cicatrisation qui s'ensuit engendre une thrombose. Privée de sang frais, la tumeur jeûne et meurt. Ces médicaments ont fait leurs preuves sur les animaux, induisant une réduction de 90 % du volume de certains tumeurs. Les essais cliniques sont en cours, mais contrairement aux principales thérapies actuelles, ce type de traitement pourrait servir de traitement complémentaire.

LE PRONOSTIC

Bien que l'incidence du cancer progresse de façon constante dans les pays industrialisés, le nombre de décès attribuables à cette maladie a diminué, notamment grâce à la détection précoce et à l'instauration de traitements adéquats. En effet, plus de 40 % des cancers peuvent maintenant être guéris s'ils sont diagnostiqués précocement et traités adéquatement. Dans certains cas, comme la maladie de Hodgkin, le cancer du testicule, les leucémies et les lymphomes, le taux de guérison a grimpé de manière spectaculaire ou cours des dernières années et le taux de survie (10 ans) dépasse les 60 % (Figure 30). Tel n'est pas le cas

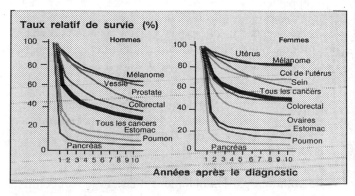

Figure 30. *Taux relatifs de survie de 10 ans, pour certains cancers au Canada (Source : Statistique Canada)*

pour tous les types de cancer, et les recherches se poursuivent afin d'améliorer les différentes catégories de traitement.

Il est important de souligner que pour la presque totalité des cancers, la majeure partie des décès survient au cours de la première année suivant le diagnostic, et qu'une proportion beaucoup plus faible de décès survient entre cinq et 10 ans après. Voilà pourquoi le suivi médical durant les trois premières années suivant le diagnostic revêt une importance capitale.

LA PRÉVENTION PRIMAIRE

La prévention représente sans aucun doute un élément clé dans la lutte contre le cancer. Les mesures de prévention primaire, nombreuses et diversifiées, s'attachent essentiellement à l'identification des facteurs de risque associés au développement d'un cancer et aux moyens nécessaires pour combattre ou supprimer ces facteurs, ou pour protéger les personnes qui y sont exposées. Les « causes connues » de certains cancers, permettent d'identifier plus précisément les mesures à prendre pour réduire le risque d'un cancer. En voici un bref rappel :

- La pollution chimique de notre environnement interne et externe par les substances chimiques cancérigènes. Au premier rang, le tabac et l'alcool, et, en deuxième lieu, la pollution chimique d'origine industrielle : colorants azoïques, amines aromatiques (Tableau 7).
- La pollution par les radiations ionisantes, avec, en tête, les rayons ultraviolets émanant du soleil et des salons de bronzage, ainsi que la manipulation de radioéléments (centrales nucléaires) et de rayons X (radiographies).
- Les virus transmissibles sexuellement, par exemple le virus de l'hépatite B, le virus d'Epstein-Barr le virus du papillome humain, et le virus du sida.
- Le style de vie : obésité, gras alimentaire, sédentarité et stress.
- Un système de défense affaibli.

Il existe pour chacune de ces causes, plusieurs mesures de prévention à la portée de chacun.

Pour éliminer la pollution chimique

Plusieurs démarches contribuent à éliminer la pollution chimique de notre environnement externe et interne. Entre autres :

- Ne fumez pas. Et si vous persistez à fumer, cessez le plus vite possible d'enfumer les autres.
- Modérez votre consommation de boissons alcoolisées.

Tableau 7.
Cancérigènes chimiques et organes cibles

Agent cancérigène	Organe cible
Hydrocarbures polycycliques • goudron de houille • fumée • suie	peau pancréas bourses (scrotum)
Solvants et colorants • aniline • benzène • toluène • éther	vessie moelle osseuse vessie poumon
Pesticides et insecticides • DIT (hydrocarbure chloré) • PEP (biphényl polychloriné) • DDE (organochloré)	foie foie sein*
Métaux lourds • amiante** • mercure • arsenic (certains composés) • chrome (certains composés) • nickel (certains composés) • cobalt • béryllium • cadmium	poumon, plèvre, péritoine peau peau, poumon poumon sinus de la face, poumon cavités nasales poumon, peau prostate
Contaminant alimentaires • aflatoxines • noix de cycas	foie foie

* Hypothèse à confirmer

** Selon L'OMS, bien que l'amiante soit cancérigène lorsqu'inhalée, il n'existe aucune preuve sérieuse que la présence de cette substance dans l'eau potable présente un danger pour la santé humaine.

- Respectez les consignes professionnelles de sécurité lors de la production, de la manipulation ou de l'utilisation de toute substance chimique potentiellement cancérigène.
- Bannissez complètement l'utilisation des pesticides chimiques non biodégradables, surtout sur votre pelouse. Ils sont autant inutiles que nuisibles. Si vous vivez en milieu rural, limitez le plus possible votre utilisation des pesticides ; l'agriculture biologique, quoique encore marginale, se développe à un rythme soutenu.
- Boycottez les grosses cylindrées et limitez le nombre de voitures par famille. Favorisez plutôt le covoiturage.
- Participez activement à la récupération et aux collectes sélectives de votre municipalité.
- Faites pression pour obtenir des ministères concernés une réglementation plus sévère des produits dangereux comme les pesticides, le droit à un environnement sans fumée, etc.

Pour réduire l'exposition aux irradiations

- Évitez si possible les radiographies. Assurez-vous qu'elles valent largement le risque. Il est essentiel de protéger le cou et les organes vitaux (cœur, poumons) des rayons X, particulièrement chez les jeunes enfants.
- Évitez la lumière solaire directe. Limitez le temps d'exposition au soleil, car les coups de soleil (en particulier durant l'enfance) sont dangereux. Rappelez-vous que l'on obtient un bronzage plus uniforme et plus attrayant en bougeant au soleil. La neige reflète 85 % des rayons UV, le sable en reflète 20 % et l'eau 5 %.
- Utilisez des crèmes de protection adaptées à votre prototype et en fonction de votre séjour au soleil (Tableau 8).

Une crème n'est efficace qu'à partir de l'indice 8. Au-dessous de cet indice, il s'agit d'une crème de confort, mais pas de protection. **Attention !** un écran total n'existe pas et il ne faut pas oublier de renouveler l'application régulièrement, surtout en cas de baignade. Par ailleurs, l'utilisation d'une crème de permet pas de s'exposer plus longtemps et si vous avez une peau lai-teuse et les cheveux roux, vous devez éviter totalement le soleil.

- Ne vous exposez que progressivement au soleil et appli-quez fréquemment (toutes les deux heures) un écran solaire avec un indice approprié à votre type de peau (Tableau 8). Les écrans à base de **PABA** filtrent les rayons UVB, et le **Parsol 1789** filtre les UVA.

- Évitez les bains de soleil prolongés et restez à l'ombre aux heures dangereuses, c'est-à-dire entre 12 h et 16 h (heure légale), en sachant que 14 h est le pire puisque le soleil est alors à son zénith. Les UV sont alors les plus agressifs. Méfiez-vous des nuages, car les rayons solai-res pénètrent la brume et le brouillard et provoquent les mêmes dégâts. Les vêtements constituent la meilleure protection contre le soleil. Choisissez-les dans des tissus léger, de préférence en fibres naturelles et à manches longues.

- Ne pas exposer les enfants qui, victimes d'un coup de soleil, pourront développer un mélanome dix, voire vingt ans plus tard. Protégez-les convenablement, car jusqu'à l'âge de deux ans la peau ne produit pas de méla-nine (pigment foncé qui protège contre les rayons UV). Par ailleurs, il ne faut jamais exposer les enfants de moins de 12 mois au soleil. Protégez les enfants plus âgés avec un écran solaire de facteur 15 ou plus, un cha-peau à large bords et un tee-shirt. Aménagez leurs aires

TABLEAU 8.

COMMENT DÉFINIR SON PROTOTYPE ET CHOISIR UN INDICE DE PROTECTION APPROPRIÉ

Cheveux	Peau	Capacité de bronzage	Prototype	Bronzage	Risque de cancer cutané	Indice de protection
Roux	laiteuse	très rare	I	pigmentation due aux taches de rousseur	très élevé	Défense de s'exposer au soleil
Blonds	claire	difficile	II	très léger	élevé	30 et plus
Châtains	claire	facile	III	légèrement foncé	élevé	30 à 15
Brun clair	mate	très facile	IV	foncé	modéré	15 à 8
Marrons, noirs	mate	très facile	V	foncé	faible	15 à 8

de jeu de manière qu'ils puissent jouer le plus possible à l'ombre (arbres, abris, parasol, auvent, etc.).

- L'utilisation des lampes à bronzer, qui peut être extrêmement néfaste pour la peau, est à proscrire. Il faut exercer des pressions auprès des gouvernements afin qu'ils adoptent une réglementation plus stricte en ce qui a trait à l'inspection du type de rayons émis (UVA et non UVB) et obligent les salons de bronzage à afficher dans un endroit bien en vue un avertissement concernant les dangers potentiels d'une utilisation abusive.
- Les moyens de se « préparer » au soleil ne protègent pas contre les méfaits du soleil (cabines à bronzage, pilules bronzantes, autobronzants, etc.)

Une alimentation équilibrée et variée et la maîtrise de l'obésité

Une alimentation équilibrée et variée et la maîtrise de l'obésité représentent des atouts dans la lutte contre le cancer (Figure 31) :

- Évitez l'obésité tout comme l'extrême maigreur.
- Limitez la part des matières grasses dans votre diète à 30 % des calories consommées.
- Modérez votre consommation d'aliments fumés, salés ou traités aux nitrites.
- Augmentez votre consommation de fruits, légumes et autres produits frais, surtout les crucifères (chou, chou-fleur, brocoli, navet, chou de Bruxelles, chou-rave, rutabaga). Ces légumes regorgent de vitamines A, C et E, de sels minéraux et de composés chimiques appelés **indoles** (qui bloquent les effets cancérigènes de plusieurs agents chimiques) et **sulforaphanes** (qui renforcent les propriétés du système immunitaire).

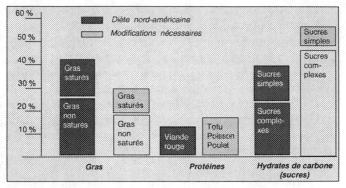

Figure 31. *Modifications simples à apporter au régime nord-américain*

• Augmentez aussi votre consommation de vitamine A de
source naturelle et de bêta-carotène. On retrouve le
bêta-carotène dans les fruits et les légumes orangés
(oranges, pêches, mangues, mandarines, abricots, canta-
loups, carottes, courges, citrouilles, patates douces) ou
vert foncé (épinards, persil, brocoli, chou, etc.). La **vitamine A** se trouve quant à elle à l'état naturel dans certaines substances animales, comme le lait entier, le foie, les
huiles de poisson (huile de foie de morue), le jaune
d'œuf, les fromages, le beurre et le lait. Plusieurs études
rétrospectives cas/témoins sur les habitudes alimentaires
fournissent des preuves modérément probantes qu'une
ou plusieurs substances caroténoïdes protègent contre le
cancer du poumon. Toutefois, il est vivement conseillé de
ne pas consommer plus de vitamine A qu'il ne s'en trouve
dans les aliments naturels. Une alimentation bien équilibrée riche en légumes verts à feuilles et les fruits (deux à
quatre portions par jour) fournit suffisamment de vita-

mine A pour combler tous les besoins de l'organisme, et il est même dangereux d'absorber de fortes doses de suppléments vitaminiques, car la vitamine A est liposoluble (soluble dans les graisses). Le surplus est par conséquent, emmagasiné dans le foie, où il devient toxique.

- Les antioxydants peuvent prévenir le cancer en éliminant les radicaux libres. L'oxydation est, bien sûr, indispensable à la vie puisque c'est le processus de combustion sans flamme par lequel l'organisme cède de l'oxygène à un aliment pour en tirer de l'énergie. Notre système en génère donc constamment, mais la pollution, la fumée de cigarette et d'autres facteurs environnementaux favorisent une production excessive de radicaux libres. Certaines vitamines, comme la **vitamine C** et la **vitamine E**, peuvent éliminer ceux-ci de notre corps et limiter les dommages qu'ils causent à l'ADN. À faibles doses (300-400 U.I./ jour), elles ne sont pas toxiques. Toutefois, un régime varié et équilibré (comportant cinq ou six portions par jour de fruits et de légumes) en assure un apport suffisant. Les oranges et les pamplemousses constituent une source importante de vitamine C, alors que la vitamine E abonde dans les huiles végétales, les aliments complets à base de céréales et les œufs.

L'importance d'une conduite sexuelle saine

Une conduite sexuelle préventive contribue à diminuer le risque de développer plusieurs types de cancers, plus particulièrement **les cancers génito-anaux (col de l'utérus, vulve, vagin, pénis et anus)**, le cancer du foie et le sarcome de Kaposi. Par conséquent, les principes généraux de la lutte contre les MTS et le sida, dont voici un bref rappel, s'appliquent parfaitement à la lutte contre le cancer.

- Il faut encourager les adolescentes à attendre au moins deux ans après la ménarche (apparition des premières règles) pour entreprendre une activité sexuelle.
- Incitez les jeunes à une plus grande discrimination dans la vie sexuelle, en décourageant la multiplicité des partenaires et le vagabondage sexuel, et mettez vous-même en pratique ce principe.
- Encouragez le recours à la contraception « barrière » (condoms), même avec la prise de contraceptifs oraux.
- En cas de MTS, il faut respecter le traitement prescrit et inciter le partenaire à se faire traiter.

Pour renforcer nos défenses anti-cancer

Les cellules du système sont impliquées dans la destruction des cellules infectées par des virus, des bactéries et des parasites, elles sont aussi impliquées dans le traitement des maladies inflammatoires et allergiques et assurent également et surtout le contrôle de la propagation des cellules cancéreuses (métastases). Il est évident que le système immunitaire n'est pas un monde isolé mais il fonctionne à l'intérieur d'un organisme qui le contrôle par des hormones comme celles du thymus, par le système nerveux central, etc. Par ailleurs, l'efficacité du système immunitaire à combattre les infections et le cancer, dépend de la santé de l'organisme tout entier : hérédité, hygiène de vie, présence ou absence de maladies.

Par conséquent, pour maintenir et renforcer le système immunitaire, un bon style de vie est nécessaire :

- une alimentation équilibrée et variée particulièrement riche en protéines;
- un sommeil et un repos adéquat;
- une maîtrise efficace du stress quotidien;

- l'utilisation du rire comme moyen efficace pour remonter le moral;
- un exercice physique régulier.

D'autre part, le système immunitaire a souvent besoin d'être aidé dans sa lutte contre l'envahisseur particulièrement lorsqu'il est affaibli par la présence d'un cancer. C'est entre autre le rôle des vaccins anti-cancer et de l'immunothérapie (voir plus haut). En effet, le système immunitaire est capable, après avoir été mis une première fois en contact avec un agresseur, de garder en mémoire et de développer une réponse plus rapide et plus efficace lorsqu'il est à nouveau en présence du même antigène. Contrairement aux vaccins traditionnels, les vaccins anti-cancer ne préviennent pas la maladie mais permettent de limiter les récidives. Administrés après l'ablation de la tumeur primaire, ils peuvent aider à l'élimination des cellules cancéreuses dans l'organisme (micro-métastases). Un grand nombre de vaccins anti-cancer sont actuellement à l'essai contre les cancers du côlon, du rein et les mélanomes.

- **Le vaccin anti-VPH**. Il semble bien établi à présent qu'une infection par le virus du papillome humain de type 16 représente un facteur de risque important dans le développement des cancers génito-anaux, plus particulièrement le cancer du col de l'utérus (plus de 93 % des cas). Ce virus est transmis sexuellement, et environ 25 types différents de VPH sur les 75 identifiés sont associés au cancer du col utérin. Dans le monde, on estime à un demi-million le nombre de nouveaux cas de cancers du col survenant à chaque année, dont la moitié se solde par un décès. Deuxième cancer le plus fréquent de la femme dans le monde, ce cancer est en effet de loin le plus fréquent dans les pays en voie de développement.

Des efforts considérables sont déployés à travers le monde pour la mise au point d'un vaccin contre le VPH. En immunisant des sujets à risque contre l'infection par ce virus, un tel vaccin réduirait l'incidence d'un grand nombre de cancers génito-anaux. En Australie, le premier essai clinique d'un vaccin synthétique contre une protéine du VPH a débuté en 1993. Administré chez des patientes atteintes d'un cancer du col de l'utérus, ce vaccin empêche le virus de pénétrer à l'intérieur des cellules. Si ce premier essai s'avère concluant, les chercheurs envisagent à court terme de vacciner les patientes atteintes d'un cancer à un stade plus précoce.

- **Le vaccin anti-VHB**. Le cancer du foie, l'un des 10 cancers les plus répandus sur la planète, constitue à l'heure actuelle un problème de santé publique d'importance mondiale puisque la maladie est causée par le virus de l'hépatite B (VHB) et que cette infection est transmise sexuellement. Au Québec, environ 3 000 cas d'hépatite B sont déclarés annuellement, soit 400 cas d'hépatite aiguë et 1 600 cas d'hépatite chronique avec cirrhose du foie. Au Canada, l'infection par le VHB prend de plus en plus d'ampleur ; le nombre de nouveaux cas d'hépatite B et de décès associés à l'infection par le virus de l'hépatite B a plus que doublé entre 1980 et 1989. Et, si la tendance persiste, on prévoit que le Canada passera en l'an 2000 du statut de pays à basse prévalence d'infection au VHB à celui de pays à moyenne prévalence. En outre, l'infection ne semble plus, comme auparavant se limiter aux populations à risque (toxicomanes, homosexuels à partenaires multiples, patients immunodéficients et personnel du milieu de la santé). La prévalence la plus haute est en effet observée chez les adolescents hétérosexuels. Toutefois, de 30 % à 40 % de nouveaux cas appartiennent à des groupes qui ne présentent aucun facteur de risque reconnaissable. Les spécialistes de cette infection et les groupes consultatifs aux États-unis et au Canada s'entendent pour dire que l'immunisation universelle constitue le meilleur moyen de lutter contre l'infection par le VHB.

Deux vaccins sont autorisés au Canada : Recombivax HB (Merck) et Engerix-B (SmithKline Beecham). Le vaccin anti-VHB est donc recommandé pour les adolescents. La grossesse et l'allaitement ne constituent pas une contre-indication à la vaccination. En 1992, la Colombie-Britannique a entrepris un programme de vaccination universelle pour les enfants de la sixième année du primaire. En avril 1994, le Québec lui a emboîté le pas en mettant sur pied un programme de vaccination pour les jeunes de moins de 18 ans. Selon les évaluations du ministère de la Santé et des Services sociaux, 100 000 jeunes seront vaccinés annuellement dans le cadre de ce programme qui n'est pas obligatoire et qui requiert l'autorisation des parents.

La chimioprévention des cancers

La chimioprévention consiste à tenter d'empêcher, à l'aide d'un médicament, l'apparition d'un cancer chez une personne à risque. Des cancers parmi les plus fréquents font l'objet de nombreuses recherches en chimioprévention. L'Institut national du cancer des États-Unis subventionne actuellement plus de 40 études de ce type, dont la moitié font appel à l'acide rétinoïque et au bêta-carotène. Au Québec, une équipe de chercheurs œuvrant sous la supervision du docteur Joseph Ayoub, du centre de recherche Louis-Charles Simard de l'hôpital Notre-Dame, en collaboration avec l'hôpital Général de Montréal et l'hôpital Laval de Québec, étudie l'efficacité de l'**acide rétinoïque** dans la prévention du cancer du poumon chez les fumeurs souffrant d'une maladie pulmonaire obstructive chronique.

D'autre part, des essais en cours tentent de vérifier l'efficacité du **tamoxifène** dans la prévention du cancer du sein. Ce projet est mené dans le cadre d'un essai clinique multicentre (118 centres en Amérique du Nord) par le NSABP (*National Surgical Adjuvant Breast and Bowel Project*). Cette recherche est cependant très controversée car le tamoxifène stimule en même temps le cancer de l'endomètre et d'autres types de cancer extra-mammaire, représentant ainsi un risque inacceptable pour des femmes en bonne santé, si on le compare au bénéfice de la prévention d'un cancer du sein hypothétique.

Le premier essai clinique sur la chimioprévention du cancer de la prostate par l'administration de **finastéride (Proscar)** a été lancé en octobre 1993. Cette drogue inhibe le niveau de testostérone et réduit à la fois la taille de la prostate et l'activité de la glande, qu'il est possible de mesurer à l'aide du test de l'antigène spécifique prostatique (ASP). Aucun effet secondaire n'a été relevé à la suite d'un essai clinique de douze mois sur un nombre restreint de personnes[11]. Cette étude parrainée par l'Institut national du cancer des États-Unis impliquera la participation de 18 000 hommes âgés de 55 ans et plus et faisant partie d'un groupe à risque en ce qui a trait au cancer de la prostate.

SURVIVRE LE CANCER ET PRÉVOIR DEMAIN

La lutte contre la maladie, et notamment le cancer, qui nécessite parfois des traitements longs, peut mettre les patients un peu à l'écart de la vie sociale et professionnelle, les conduire à des situations financières délicates ou leur laisser des handicaps physiques. Par ailleurs, un nombre croissant de cancers sont traités de façon précoce et leurs séquelles sont de ce fait en nette diminution, ce qui tend à faciliter la réhabilitation physique. Le souci de la qualité de la vie des patients après leur traitement est devenu primordial.

Concilier traitement et qualité de vie

Pendant longtemps, et notamment depuis le début de ce siècle, le premier objectif des médecins luttant contre le cancer a consisté à allonger la survie des patients et à réduire les récidives. Les préoccupations liées à la qualité de vie venaient en second plan. Aujourd'hui, la qualité de vie revient au centre des préoccupations des spécialistes de la lutte contre le cancer. Elle devient même l'objectif de certains essais thérapeutiques. Les médecins ne se contentent plus de choisir un traitement. Ils s'efforcent de combiner celui qui associe le maximum d'efficacité contre la maladie avec le minimum d'inconvénient pour le patient.

• Moduler les traitements pour les rendre moins radicaux et plus supportables. En diminuant les effets secondaires des traitements et en réduisant les doses utilisées, en radiothérapie notamment, on peut limiter les séquelles physiques particulièrement chez les jeunes enfants (déformation de la colonne vertébrale, stérilité, risque d'un second cancer). Par ailleurs, la radiothérapie est aussi mieux ciblée pour épargner les organes dans le voisinage de la tumeur.

• Guérir sans mutiler. Grâce au traitement conservateur, le nombre d'ablations d'organes a considérablement diminué. Dans les années soixante-dix, l'ablation des seins se faisait dans 98 % des cas ; elle ne concerne aujourd'hui que 30 % des femmes. Pour les yeux, la proportion est passée de 95% à 10 %. Pour les cancers du rectum, elle est passée de 60 % à 30 % ; et de 95 % à 10 % pour les cancers de l'anus. Il faut toutefois dire que ces traitements conservateurs s'appliquent surtout pour les petits cancers. On ne dira jamais assez l'importance du dépistage systématique et du diagnostic précoce : il y a 30 ans, la moyenne des tumeurs détectées étaient beaucoup plus grosses ; aujourd'hui, les médecins étant eux aussi plus sensibilisés au diagnostic du cancers, on détecte plus précocement. Au surplus, les concepts médicaux ont changé : alors qu'avant on enlevait l'organe atteint ; on peut guérir désormais en n'enlevant que la petite tumeur et en associant la chirurgie à la radiothérapie. Car grâce aux rayons à doses modérées, on stérilise les cellules cancéreuses sans abîmer les tissus sains. C'est la fameuse notion du « contrôle locorégional de la tumeur ».

• Concernant les cancers du sein un peu plus volumineux, les traitements mixtes permettent aujourd'hui à un plus grand nombre de patientes (75 % des cas) de conserver leur sein. Enfin, pour une variété de tumeur du sein étendue, l'amputation du sein peut être associée directement, sans complication, avec une reconstruction mammaire dans la majorité des cas. Autrement dit, la patiente se réveille après l'intervention avec un sein reconstruit par chirurgie plastique (prothèses mammaires contenant du sérum physiologique).

• La douleur et l'esthétique sont prises en charge. C'est ainsi que les nausées et vomissements déclenchées par les chimiothérapies sont enrayés à l'heure actuelle par l'administration d'un anti-émétique (**zofran et nabilone**). Seules les prothèses contenant du sérum physiologiques sont actuellement autorisées en Amérique du Nord. Concernant les prothèses faites de gel de silicone, le risque de connectivite (douleurs articulaires, troubles musculaires ou cutanés) due à la fuite de silicone est réellement minime. Sur le plan cancérologique, aucun risque de favoriser une rechute ou le développement d'un cancer. En revanche, sur le plan local, il est fréquent d'observer le développement d'une fibrose entourant la prothèse implantée : le contour de la prothèse s'épaissit, se déforme, devient douloureux, et bien souvent une coque se forme ; sans gravité en elle-même, elle est difficile à supporter et nécessite l'ablation de la prothèse.

• Finalement, à défaut de pouvoir venir à bout de la maladie on fait tout ce qui est possible pour que les patients puissent « vivre avec » dans des conditions respectables. Acceptables pour eux, c'est-à-dire conformes à leur conception du bonheur.

Conclusions pratiques concernant les implants mammaires

♦ Chez les femme déjà porteuses de prothèse mammaire emplie de gel de silicone: pas de nécessité d'ablation systématique, mais une information claire et complète ainsi qu'une surveillance régulière.

♦ Chez les femmes candidates à implantation : les prothèses mammaires contenant du sérum physiologique sont conseillées.

Après le traitement la vie continue

Pour les patients, il est primordial d'éviter au maximum de se « désinsérer ». Le patient ne doit pas réapprendre à vivre normalement, mais plutôt il ne doit pas désapprendre à vivre normalement.

- Limiter l'absence au travail, quand les traitements le permettent. En effet, plus la rupture est longue, plus la reprise est difficile. Il faut s'absenter le moins possible. Par ailleurs, le retour au travail peut être un facteur d'équilibre s'il est gratifiant ; s'il est mal payé, mal reconnu, répétitif, il devient au contraire un véritable obstacle à la réinsertion. Reprendre contact avec l'extérieur, retrouver une utilité et une activité sociale amène le patient à se soustraire graduellement à l'univers de la maladie.

- Continuer de soutenir le patient (visites régulières chez l'oncologue ou le médecin de faille) afin d'éviter à celui-ci de se sentir soudainement tout seul. Ce qui engendre souvent une certaine difficulté à reprendre la vie familiale et professionnelle. L'appui d'un psychologue et des bénévoles est à cette étape bien important. L'aide ne doit pas s'arrêter aux portes de la maison.

- Prendre conscience de la charge émotionnelle. La première tentative est évidemment de se dire « je veux oublier ». Or une charge de ce type ne s'oublie pas. Elle peut se refouler, se placer dans l'inconscient, mais elle continue d'agir. L'individu est ébranlé. S'il veut trop rapidement oublier, des zones d'ombre vont réapparaître. Il faut donc laisser un peu de place à la parole, imaginer des services, des lieux d'écoute pour qu'il puisse raconter. Le fait de parler d'une peur ne la gomme pas, mais on l'épingle, on la met en mots, donc on la met un peu en pièces. Les mots soulagent, ils donnent une réalité extérieure. Toute chose qui peut se dire est une chose surmontable.

• Extérioriser ses sentiments et dompter son angoisse : Rencontrer des patients guéris ou en cours de traitement aide de façon incontestable. Écrire sur cette période de la vie permet souvent de mieux analyser les choses donc de mieux les comprendre et les surmonter. C'est une expérience d'un enrichissement personnel impressionnant car on est confronté à sa propre maladie, à sa propre mort. Immanquablement, toute expérience difficile fait réfléchir. Il faut apprendre à gérer sa maladie.

• Agir pour vivre et pour guérir. Pensez positivement, et tout faire pour s'en sortir. Rechercher le sens de sa vie. Savoir pourquoi on veut vivre. Pour qui et pourquoi faire ? Trouver une bonne raison de vivre et faire des projets aident à vivre, mais aussi à guérir. C'est en grande partie pour cela que chaque patient se doit avant tout d'apprendre à se prendre en charge et à vouloir guérir. Voltaire n'a-t-il pas dit : « *L'espérance de guérir est déjà la moitié de la guérison* »

• Réapprendre à maîtriser son corps. Changer son mode de vie est à la fois une aventure merveilleuse et une entreprise délicate qu'il faut soigneusement préparer et organiser pour en récolter tous les fruits. Parmi les différents moyens d'action, certains ont une composante physiologique (alimentation équilibrée et variée et arrêt du tabac et des drogues, activité physique ou sport), d'autres une composante qui est psychologique et comportementale (gestion du stress et dimension relationnelle et émotionnelle). Par ailleurs, respecter ses rythmes biologiques (horaires de repas réguliers, se reposer, faire la sieste au moins une fois par jour,

meilleur sommeil, vie affective harmonieuse, etc.)
aidera à rebâtir le moral et à se sentir bien dans sa peau.

Chapitre 3

Les troubles du système nerveux

LE CERVEAU HUMAIN

Le cerveau humain est l'organe à la fois le plus merveilleux et le plus complexe qui soit (Figure 32). Il est le siège de la plupart des facultés conscientes et intelligentes. De plus, il reçoit, trie, analyse et émet instantanément des messages précis aux quelque 75 à 100 milliards de cellules du corps, réglant ainsi plusieurs fonctions essentielles au maintien de la vie. La plupart des informations sensorielles, comme celles qui proviennent des yeux, des oreilles ou de la peau, aboutissent au cortex cérébral où elles sont transformées en images, sons, sensations tactiles ou autres.

Le cerveau se compose de plus de 15 milliards de cellules nerveuses appelées neurones. Disposées en couches ou en amas, ces cellules possèdent un corps cellulaire et sont entourées de fibres nerveuses. Certaines cellules possèdent de plus longues excroissances filamenteuses appelées

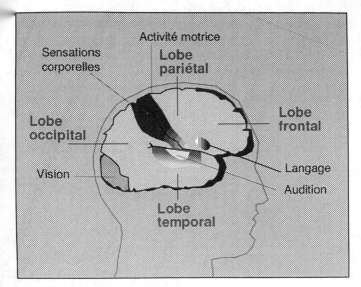

Figure 32. *Le cerveau humain*

axones, le long desquelles se transmettent les signaux électriques destinés à d'autres cellules. Ces fibres sont disposées
en bandes ou en faisceaux (comme des câbles électriques) et
leur enchevêtrement forme un réseau nerveux très complexe
qui comprend des dizaines de milliards de connections.

Le cerveau est toujours débordant d'activité électrochimi-
que. Des signaux le traversent en tous sens, émis ou reçus
par les neurones, véritables petits « câbles » vecteurs
d'information. Les cellules nerveuses sont, toutefois, très
spécialisées : elles sélectionnent ces signaux et ne gardent
que ceux qui importent vraiment ; cet immense travail de
sélection évite le chaos mental[12, 13].

Puisque la cellule nerveuse ne peut pas se multiplier, donc se régénérer, et puisque le réseau de connections fibreuses se développe pendant l'enfance et l'adolescence, notre santé mentale dépend de la richesse du réseau de communication établi pendant la période de croissance.

Les techniques modernes d'imagerie permettent la détection d'un grand nombre d'anomalies et de lésions du cerveau. Ainsi, la **tomodensitométrie**, ou scanner, fournit, sans incommoder d'aucune manière le patient, une image des circonvolutions cérébrales, de la substance grise et blanche et des structures osseuses et calcifiées, permettant le diagnostic de pathologies telles que les kystes, l'œdème, le cancer, l'accident vasculaire cérébral, et d'autres. Cette technique fait appel à un faisceau de rayons X dirigés vers la région explorée, qu'elle évaluera grâce aux différentes intensités tissulaires.

L'imagerie par résonance magnétique, ou IRM, permet d'obtenir, sans rayons ni produits, d'excellentes images des structures nerveuses, facilitant particulièrement l'identification des lésions du tronc cérébral, des plaques de démyélinisation et d'un œdème cérébral sous-clinique. La **tomographie par émission de positons** (PET) permet la visualisation du cerveau humain en train d'exécuter différentes tâches de verbalisation (ouïe, vision, parole, pensée). Cette technique utilise des isotopes radioactifs pour mettre en évidence l'augmentation du débit sanguin dans certaines régions du cerveau selon le type d'opération effectuée.

L'électroencéphalographie permet l'enregistrement graphique du voltage des courants électriques cérébraux. Ces variations de potentiel électrique, appelées **ondes cérébrales**, constituent un témoin fidèle de l'activité cérébrale. Le cerveau humain produit quatre types d'ondes (Figure 33) dont la fréquence est mesurée en hertz (unité de fréquence égale à un cycle par seconde, représentée par le symbole Hz).

- Les ondes alpha (8 à 13 Hz) se manifestent lorsque le sujet adulte est éveillé, au repos, et qu'il garde les yeux fermés. Elles ne sont pas émises durant le sommeil.
- Les ondes bêta (14 à 30 Hz), plus rapides et de plus faible amplitude, apparaissent habituellement lorsque le système nerveux est en activité, c'est-à-dire durant l'activité mentale et la perception de sensations.

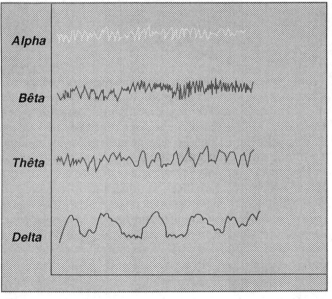

Figure 33. *Les différents types d'ondes cérébrales enregistrées par électro-encéphalographie*

- Les ondes thêta (4 à 7 Hz) sont enregistrées chez les enfants de deux à cinq ans et chez certains adultes en état de stress psychologique aigu. Elles indiquent la présence de différents types de maladies cérébrales.

- Les ondes delta (1 à 5 Hz) sont généralement perçues lorsque le sujet est dans un état de sommeil profond. Normales chez les enfants en état de veille, elles signalent divers troubles cérébraux chez les adultes éveillés. Ce tracé est toutefois rare en cas de tumeur cérébrale.

Certaines maladies produisent un électroencéphalogramme très particulier. Voilà pourquoi cette technique se révèle d'une grande utilité pour diagnostiquer l'épilepsie, les tumeurs cérébrales, les traumatismes et les hématomes. Son utilité est par ailleurs indéniable lorsque subsiste un doute quant à une mort cérébrale, puisqu'un électroencéphalogramme plat confirme que l'activité cérébrale est nulle. C'est sur ce critère d'une grande fiabilité que se fondent le plus souvent les médecins pour déclarer une personne cliniquement décédée.

LES TRAUMATISMES DU CERVEAU

Les traumatismes qui touchent le cerveau sont le plus souvent directs, c'est-à-dire qu'ils s'exercent au niveau de la tête par l'intermédiaire de la boîte crânienne. Sous le choc, les os du crâne peuvent se briser (fracture), ou s'enfoncer (embarrure). Parfois, ils résistent, ce qui n'empêche pas le cerveau d'être ébranlé (commotion cérébrale) ; dans ce cas, le tissu nerveux, les vaisseaux sanguins et les méninges peuvent être cisaillés, déchirés et rompus, ce qui provoque une interruption nerveuse, une ischémie, ou une hémorragie et un œdème cérébral. Les traumatismes crâniens entraînent plus de décès et de handicaps que n'importe quelle autre cause neurologique avant l'âge de 50 ans, et c'est la principale cause de mortalité parmi les jeunes hommes de moins de 35 ans.

Le diagnostic

L'expression clinique des traumatismes crâniens est extrêmement diversifiée et l'on trouve une foule d'états intermédiaires entre le simple mal de tête passager et le coma profond et prolongé. Certains signes prennent une signification a priori péjorative : disparition des réflexes cornéens et pupillaires, flaccidité de la nuque, etc. Mais, quel que soit le tableau clinique initial, le plus urgent consiste à déterminer si le patient souffre d'un hématome intracérébral. Le diagnostic est fondé essentiellement sur une **notion évolutive**, celle d'aggravation, qu'elle soit progressive (maux de tête croissants, détérioration de la conscience, troubles moteurs, modifications pupillaires) ou qu'elle succède à une période trompeuse d'amélioration. Par exemple, en présence d'un **hématome cérébral aigu**, le blessé, après une brève perte de conscience initiale, reprend connaissance pour sombrer quelques heures plus tard dans un coma profond. À partir d'un certain volume, l'hématome comprime le cerveau et entraîne très vite des conséquences graves. Son évacuation, qui nécessite une intervention chirurgicale, permet la guérison, à condition que l'intervention soit pratiquée à temps

Par ailleurs, un **hématome chronique** peut faire son apparition des semaines après un traumatisme. Ce type de lésion semble très fréquent chez les patients alcooliques et chez les individus qui ont dépassé la cinquantaine, même lorsque le traumatisme crânien paraît relativement banal, au point même d'être oublié. Des maux de tête quotidiens croissants, une somnolence fluctuante, ou des états de confusion et une hémiparésie (paralysie légère d'une moitié du corps) d'importance minime à modérée sont caractéristiques de cet état qu'une IRM ou une angiographie permettra de confirmer.

L'épilepsie post-traumatique, qui se caractérise par des crises pouvant survenir jusqu'à quelques années après le traumatisme, vient compliquer environ 10 % des traumatismes crâniens graves et 40 % des plaies pénétrantes.

La forme la plus sévère de traumatisme crânien est celle qui entraîne l'atteinte presque complète des fonctions hémisphériques tout en ménageant le tronc cérébral. Le patient survit, mais dans **un état végétatif chronique (coma)** qui, grâce à des soins assidus, peut durer de nombreuses années. Peu de patients sortent de cet état végétatif s'il persiste au-delà de trois mois, et presqu'aucun après une durée de six mois. L'échelle de coma de Glasgow est un instrument de mesure qui permet de déterminer la sévérité du traumatisme et de faire une estimation du pronostic (Tableau 9).

Le traitement

Le traitement **immédiat** consiste essentiellement en une immobilisation en bloc de la victime de l'accident, en prenant bien soin d'éviter le déplacement de la colonne vertébrale et des membres pour ne pas causer de traumatisme à la moelle épinière et aux vaisseaux sanguins. On a recours aux mesures dites « de réanimation médicale » pour maintenir les voies aériennes supérieures dégagées, notamment par une canule, une sonde endotrachéale ou, si nécessaire, on pratique la respiration assistée. **La morphine et les**

TABLEAU 9.
ÉCHELLE DE COMA DE GLASGOW

Ouverture des yeux	
• Jamais	1
• À la douleur	2
• Aux stimuli verbaux	3
• Spontanément	4
Réponse verbale	
• Pas de réponse	1
• Sons incompréhensibles	2
• Mots inadéquats	3
• Désorienté et parle	4
• Orienté et parle	5
Réponse motrice	
• Pas de réponse	1
• Extension (rigidité de décérébration)	2
• Flexion anormale (rigidité de décortication)	3
• Rétraction en flexion	4
• Localise la douleur	5
• Obéit	6
Score total	3-15

Interprétation : 3-4 = lésions potentiellement fatales ; > huit = fortes probabilités de bonne récupération

autres sédatifs sont formellement contre-indiqués à cette étape.

À l'hôpital, une fois le dégagement des voies aériennes assuré (par trachéostomie en cas de traumatisme grave), l'hémorragie interne et les autres complications vitales sont évaluées et traitées en priorité. Il faut alors dresser un bilan complet de l'état de conscience du patient, du type de respiration, du diamètre des pupilles et de leur réactivité à la lumière, de l'activité oculomotrice et de la motricité des membres. Les fractures du crâne sans déplacement ne requièrent pas de traitement et les fractures avec embarrure relèvent essentiellement de la neurochirurgie.

LES INFECTIONS DU SYSTÈME NERVEUX CENTRAL

La méningite est le nom donné à toutes les inflammations aiguës ou chroniques des méninges (enveloppes du cerveau) ou de la moelle épinière. Une méningite virale est généralement bénigne, mais une méningite bactérienne met la vie du sujet en danger et exige un traitement rapide. Les infections fongiques, les cancers disséminés et des réactions chimiques à certaines injections dans la moelle peuvent aussi occasionner une méningite.

Les micro-organismes atteignent le cerveau par voie sanguine (à partir d'une infection située à un autre endroit du corps), par propagation directe d'une infection dans la boîte crânienne (otite, sinusite) ou par communication du liquide céphalo-rachidien avec l'extérieur (lésions traumatiques, intervention neurochirurgicale). La méningite virale, beaucoup plus fréquente que les méningites bactériennes, a tendance à survenir de façon épidémique au cours des mois d'hiver. Les trois bactéries responsables de près de 80 % des cas de méningite bactérienne portent le nom de *Neisseria meningitidis*, *Haemophilus influenzae* de type B et *Streptococcus pneumoniae*.

Le diagnostic

Une méningite aiguë se manifeste par divers symptômes tels que la fièvre, les maux de tête sévères, la raideur de la nuque, une aversion pour la lumière (photophobie) et les vomissements. La méningite virale se caractérise par des symptômes relativement atténués qui ressemblent à ceux de la grippe et disparaissent en une semaine ou deux sans laisser de séquelles. En cas de méningite bactérienne, les symptômes apparaissent beaucoup plus rapidement (parfois en quelques heures) et s'accompagnent de troubles de conscience (irritabilité, somnolence, confusion et, quelquefois, perte de conscience).

Une méningite bactérienne aiguë peut devenir mortelle en quelques heures, d'où l'urgence d'établir un diagnostic précoce et d'amorcer un traitement adéquat. Dans la moitié des cas environ, une éruption de taches rouges (purpura) recouvre la peau. Le diagnostic repose sur la ponction lombaire et l'examen de l'échantillon de liquide céphalorachidien ainsi prélevé. La mise en culture de ce liquide et d'autres méthodes sérologiques de détection des antigènes bactériens s'avèrent souvent essentielles au diagnostic de l'agent infectieux. Plus récemment, le génie génétique a introduit des techniques nouvelles et rapides permettant un diagnostic précoce de la méningite. La recherche du site d'infection primaire, par des cultures de prélèvements du sang, du nasopharynx, des sécrétions respiratoires, de l'urine et de toute lésion de la peau, s'avère également indispensable au contrôle de la maladie.

Le traitement

Comme nous l'avons mentionné, la méningite virale est généralement bénigne, disparaissant en une semaine ou deux sans laisser de traces. On doit toutefois entreprendre immédiatement un traitement à l'acyclovir (Zovirax) et poursuivre ce traitement pendant au moins 10 jours pour obtenir un bénéfice thérapeutique maximal. Toutefois, ce traitement entraîne, dans certains cas, des troubles hépatiques, une déficience de la moelle osseuse et une insuffisance rénale transitoire. Afin d'éviter la toxicité rénale, l'acyclovir doit être administré lentement en perfusion intraveineuse, pendant une heure.

Pour traiter la méningite bactérienne, on identifie d'abord le micro-organisme en cause pour ensuite choisir l'antibiotique approprié. Dans le cas de formes suraiguës, on complète le traitement antibiotique par des hormones corticosurrénales, de la noradrénaline, des sérums physiologiques (glucosés ou salés) et une oxygénothérapie. Un traitement adjuvant actuellement à l'étude, la **dexaméthazone** (Decadron, Deronil, Dexasone, Maridax, Oradexon) promet de réduire le risque de surdité par la méningite à *Haemoplilus influenzae.*

Les patients atteints de méningite bactérienne qui sont traités rapidement guérissent généralement sans garder de séquelles, mais, dans certains cas, des lésions cérébrales subsistent. Les antibiotiques et les traitements symptomatiques ont réduit le taux de mortalité des méningites aiguës à moins de 10 % dans les cas détectés précocement. Malheureusement, une méningite diagnostiquée tardivement ou frappant un nouveau-né ou une personne âgée se solde souvent par un décès.

La prévention

La vaccination dans le cadre d'une épidémie engendrée par des souches spécifiques de bactéries peut s'avérer efficace. Toutefois, il est souvent plus utile de traiter l'entourage d'une personne atteinte (famille, personnel médical et autres personnes proches) à l'aide d'antibiotiques, par exemple la **rifampine** (Rimactane, Rifadin, Rofact) pendant 48 heures (adultes, 600 mg toutes les 12 heures, enfants, 10 mg/kg toutes les 12 heures, nourrissons de moins d'un mois, cinq mg/kg toutes les 12 heures).

L'efficacité du **vaccin antiméningococcique** demeure limitée, d'une part parce qu'il n'est adapté qu'à quelques souches de méningocoques, et d'autre part parce que la protection n'a qu'une durée très limitée. Ce vaccin est utilisé principalement en cas d'épidémie pour en diminuer le risque d'extension. Le vaccin contre l'*Haemophilus influenzae* de type B assure, quant à lui, une bonne protection aux enfants dès l'âge de deux mois.

LES MALADIES DÉGÉNÉRATIVES

Les cellules nerveuses sont protégées par une **gaine de myéline** constituée de couches de lipoprotéines. Formée au commencement de la vie par les cellules nerveuses elles-mêmes, cette enveloppe protectrice facilite la transmission de l'influx nerveux. De nombreuses maladies métaboliques congénitales (par exemple la phénylcétonurie, la maladie de Gaucher ou la maladie de Tay-Sachs) altèrent la gaine de myéline en cours de formation, principalement au niveau du système nerveux central. La perte de myéline (démyélinisation) à un âge plus avancé caractérise de nombreuses maladies neurologiques ; celles-ci sont attribuables soit à une lésion de la myéline elle-même (traumatisme local ou ischémie), soit à des agents toxiques ou à des troubles métaboliques.

Une perte importante de myéline est habituellement suivie d'une dégénérescence de l'axone et, souvent, d'une dégénérescence en général irréversible de la cellule nerveuse elle-même. La **maladie d'Alzheimer** et la **maladie de**

Parkinson, que nous aborderons dans le chapitre suivant, se rencontrent assez fréquemment chez les vieillards.

La sclérose en plaques (SEP) est une affection démyélinisante des centres nerveux qui frappe le plus souvent l'adulte jeune et qui se caractérise par des plaques de sclérose disséminées à la surface des circonvolutions cérébrales et de la moelle épinière. La SEP peut toucher n'importe quelle zone de la substance blanche, entraînant des troubles de la vision, de la sensibilité ou de la motricité. La cause de cette maladie échappe encore à notre connaissance, mais plusieurs mettent en cause une anomalie immunologique relevant probablement d'un mécanisme spécifique, par exemple une infection par un virus latent (rétrovirus) ou lent (adénovirus) ou une réaction autoimmunitaire. L'incidence familiale de la maladie étant élevée, on suppose par ailleurs l'existence d'une susceptibilité génétique. Les femmes sont atteintes deux fois plus souvent que les hommes. L'évolution et la gravité des symptômes de la sclérose en plaques varient énormément d'un patient à l'autre. Certains connaissent, leur vie durant, de longues périodes asymptomatiques entrecoupées de rechutes légères dont ils conservent peu de séquelles. D'autres sont assaillis par une série de poussées qui leur lèguent à chaque fois un certain nombre de handicaps avant de céder la place à une longue période de rémission. D'autres encore voient leur handicap évoluer rapidement et, dès la première crise, ils sont vite cloués au lit et incontinents. Enfin, un petit nombre de sujets souffrent d'un handicap très important dès la première année.

Le diagnostic

Le diagnostic de la sclérose en plaques est indirect. On l'obtient par déduction, à partir des caractéristiques cliniques et biologiques de la maladie, lesquelles sont très variées puisqu'elles dépendent de la distribution des plaques de sclérose. Les cas typiques peuvent toutefois être diagnostiqués avec certitude. Selon la localisation des lésions, les signes les plus fréquents comprennent des troubles de la sensibilité (engourdissement, picotements, douleurs) affectant un ou plusieurs membres ou une moitié du visage, une perte de coordination motrice (faiblesse d'une jambe ou d'une main pouvant aller jusqu'à la paralysie), et des troubles de la vision (vision double, cécité partielle, douleur oculaire unilatérale, baisse de l'acuité visuelle).

On peut observer également des problèmes d'incontinence, des vertiges, des troubles de mémoire et des troubles émotionnels discrets. Une chaleur excessive peut aggraver ces symptômes qui témoignent d'une atteinte disséminée du système nerveux central, atteinte qui date souvent de plusieurs mois, voire plusieurs années.

Le traitement

Il n'existe pas encore de traitement spécifique pour la sclérose en plaques. Beaucoup de spécialistes recommandent l'administration de **prednisone** (Deltasone, Apo-Prednisone, Novoprednisone, Winpred) ou de **dexaméthasone** jusqu'à la rémission des manifestations (habituellement un à trois jours). Les doses sont ensuite réduites graduellement pendant cinq à sept jours. Ce type de traitement peut accélérer le rétablissement du patient qui vient de traverser une crise aiguë et minimiser ou prévenir les déficits neurologiques permanents, surtout s'il est entrepris au tout début de l'épisode.

L'interféron, à raison d'une forte dose quotidienne, diminue la fréquence des atteintes neurologiques chez les patients souffrant d'une SEP à rechutes. Plusieurs autres produits et approches prometteurs sont actuellement à l'étude. Par exemple, les nutritionnistes soutiennent qu'une diminution de la consommation de gras animal et une augmentation de la consommation de protéines d'origine végétale favorisent le contrôle des poussées évolutives de SEP. Il faut aussi encourager les patients à rester confiants en l'avenir et à mener une vie aussi normale et active que possible. Les massages et l'exercice physique régulier s'avèrent bénéfiques sur les plans physique et psychologique, et le soutien de l'entourage paraît essentiel, surtout pour écarter l'idée d'un pronostic désespéré.

LA DÉPRESSION : UNE MALADIE ÉVITABLE

On dit que la dépression est à la maladie mentale ce que le rhume est à la maladie physique. La dépression, c'est d'abord une tristesse profonde, mais plus encore, la dépression est une vraie maladie qui a un début et une fin. Pénible pour tous ceux et celles qu'elle frappe, la dépression mine l'existence en hypothéquant jusqu'aux petits plaisirs de la vie. Elle se manifeste par un ralentissement général, avec troubles de sommeil, perte d'énergie, libido en berne, sentiment de grande tristesse, de dévalorisation et d'inutilité. La souffrance est très grande.

Elle compromet le quotidien à tous les échelons, empêchant ses victimes de tirer parti de leur travail et de leurs relations avec leur entourage. Trop souvent, les dépressifs, en raison de préjugés ou d'un manque d'information, préfèrent essayer de s'en sortir seuls. Évidemment, cette démarche est presque toujours condamnée à l'échec.

L'ampleur du problème

La dépression touche de 6 % à 10 % de la population en général, et de 20 % à 30 % des personnes âgées de plus de 65 ans. Cette prévalence est presque deux fois plus élevée chez les femmes que chez les hommes. Selon l'OMS, quelque 100 millions de personnes à travers le monde, dont trois millions au Canada, souffrent de dépression et l'on prévoit une augmentation de la fréquence de cette maladie dans le monde. Moins du tiers de ces personnes en détresse demanderont l'aide d'un professionnel en santé mentale.

Les causes

Il existe plusieurs formes de dépression, mais pour chacune, le diagnostic, le traitement et la prévention sont entièrement individuels.

Certaines dépressions sont dites « **réactionnelles** » parce qu'elles sont déclenchées par un événement représentant une charge émotionnelle intense : deuil, accident ou maladie grave, douleur chronique, invalidité ou hospitalisation prolongée. D'autres dépressions sont reliées à une catastrophe (perte d'emploi, décès ou départ d'un être cher), à des facteurs climatiques et saisonniers (manque de lumière), à un facteur social (solitude, chômage, perte d'argent) ou psychoémotionnel (manque d'affection durant l'enfance, divorce, séparation). La fréquence de la dépression est aussi plus élevée chez les personnes ayant des antécédents familiaux de dépression.

D'autres types de dépression sont **endogènes**, s'intégrant le plus souvent à une maladie psychiatrique. L'exemple le plus fréquent est la psychose maniacodépressive, au cours de laquelle alternent des phases de dépression et des phases maniaques (démences). Par ailleurs, certains types de personnalité sont plus sujets à la dépression, par exemple une personne dépendante et insécure. Ces personnes entretiennent souvent des croyances erronées (du type « tout le monde doit m'aimer »).

Plusieurs dépressions échappent toutefois à toute explication. Survenant **spontanément**, elles restent stables pendant une période indéterminée. Ce type de dépression est souvent héréditaire, et les spécialistes croient qu'un niveau trop bas de sérotonine (substance chimique agissant notamment au niveau du cerveau) serait en cause.

Le diagnostic

Le diagnostic repose sur le tableau clinique (c'est-à-dire les signes et symptômes) et l'évolution de la maladie, sur la présence d'antécédents familiaux et, parfois, sur la réaction univoque du sujet à des actions sur l'organisme. Plusieurs brefs questionnaires (12 à 38 questions) à remplir soi-même ont été proposés pour faciliter le diagnostic et le dépistage précoce de la dépression.

Par ailleurs, les experts s'entendent dans la définitions des principales caractéristiques physiques, psychiques et sexuelles de la dépression :

- L'humeur est classiquement triste ; le sujet semble perpétuellement déçu et mélancolique, en proie à une sorte de douleur morale. Il éprouve le sentiment pénible d'être inutile et impuissant, se sent vide et désespéré, ce qui l'amène à porter un jugement négatif sur lui-même. Un état d'anxiété latente accompagne fréquemment ce état d'esprit, tout comme le sentiment d'une mort imminente.
- La perte de tout espoir ou désir, quel que soit le domaine, caractérise la personne dépressive. Celle-ci devient

pessimiste et n'éprouve plus le moindre intérêt. Elle ne fait plus, désormais, aucun projet.

- Des signes et symptômes secondaires importants accompagnent souvent la dépression : troubles digestifs (perte de l'appétit, constipation, anorexie), migraines, fatigue généralisée, insomnie (surtout au petit matin), perte de poids, perte du désir sexuel, et de libido, agitation ou, au contraire, ralentissement physique pouvant même se transformer en paralysie.
- Une dévalorisation, une autodépréciation et une perte totale de confiance en soi sont très caractéristiques, surtout lorsqu'elles sont associées à un sentiment de culpabilité, de catastrophe et d'incurabilité.
- Le ralentissement psychomoteur ou cérébral, et la modération de l'expression verbale et de l'activité peuvent se muer en stupeur dépressive caractérisée par la cessation de toute activité volontaire.
- Bien qu'un sous-groupe de dépressifs soient hypersomniaques, la plupart des patients mélancoliques se plaignent d'insomnie, de difficultés à trouver le sommeil, de réveils fréquents ou d'éveil matinal précoce.
- On note souvent une perte de désir sexuel et une difficulté à atteindre l'orgasme ; une aménorrhée peut également être observée. L'anorexie et la perte de poids provoquent, dans certains cas, un amaigrissement important.
- Dans 15 % des cas, le patient est en proie à des idées délirantes ; il croit avoir commis des péchés ou des crimes impardonnables, et il entend des voix l'accuser de méfaits divers ou le condamner à la mort. Les rares hallucinations visuelles prennent la forme de cercueils ou de parents décédés. Du fait de leur sentiment d'insécurité et d'indignité, les patients se sentent observés, surveillés ou persécutés.

- D'autres se croient atteints d'une maladie incurable et « honteuse », comme le sida, une MTS ou un cancer du col de l'utérus ou du pénis.

Les complications

- **Les conséquences sociales** de la dépression, surtout dans les cas récurrents et chroniques, peuvent empoisonner la vie familiale et priver les enfants d'un soutien parental optimal. Des épisodes fréquents de dépression mal contrôlés sont responsables de faillites, de carrières ratées et d'échecs conjugaux successifs.
- **La toxicomanie.** L'alcoolisme et l'abus d'hypnotiques et de sédatifs, tout comme l'abus de stimulants ou de cocaïne, figurent parmi les conséquences fréquentes de troubles de l'humeur mal traités ou non identifiés.
- **Une augmentation de la mortalité cardio-vasculaire** est associée à la dépression. On n'en connaît pas encore la cause, mais on relève plusieurs cas de décès d'origine cardio-vasculaire chez les parents au premier degré (père, mère, frère ou sœur) qui ne souffrent pas eux-mêmes d'états dépressifs.
- **Le suicide** représente le risque sans aucun doute le plus sérieux. Certains dépressifs sont plus portés que d'autres au suicide : une dépression grave avait déjà été diagnostiquée chez 30 à 70 % des personnes qui se sont suicidées. Le suicide est responsable de 15 % des décès chez les patients souffrant de dépression non traitée, il survient en général dans les quatre ou cinq ans suivant le premier épisode clinique. Les risques de suicide augmentent avec le niveau d'acide 5-hydroxyindolacétique ; les patients dont le niveau est inférieur à 15 mg par millilitre étant les plus à risque. Un autre facteur de risque

biologique significatif est la présence d'antécédents familiaux de suicide, même lorsque le sujet a vécu éloigné du parent biologique concerné.

Le traitement

Le traitement dépend essentiellement du type et de la sévérité de la dépression. Il faut cependant dire qu'une rémission spontanée peut se produire au bout de six à 12 mois dans environ 5 % des cas ; par contre, près de la moitié des sujets touchés par une dépression grave deviennent des déprimés chroniques.

Si la déprime est déjà installée, un médicament antidépresseur vous sera sans doute prescrit d'emblée. Seul ou, plus souvent, avec un produit contre l'anxiété. Respectez bien les doses indiquées et revoyez votre médecin régulièrement.

Il existe trois classes de médicaments antidépresseurs : premièrement, les tricycliques (comme l'amitriptyline, l'amoxapine, la désipramine, le doxépine et l'imipramine) qui constituent la classe la plus importante d'antidépresseurs. Les tricycliques n'entraînent pas d'effet euphorisant immédiat, et n'exercent donc aucun effet sur la tristesse normale. Deuxièmement, les inhibiteurs de la monoamine oxydase, comme la phénelzine, l'isocarboxazide et la tranylcypromine ; et troisièmement, les sels de lithium (Carbolith, Duralith, Lithane, Lithizine). Le lithium est un métal alcalin qui diminue l'intensité et la fréquence des oscillations imprévisibles et souvent explosives de l'humeur et du comportement qui caractérisent cette maladie. La photothérapie et l'éctronarcose s'avèrent aussi efficaces dans plusieurs cas.

Attention ! Les antidépresseurs présentent plusieurs inconvénients : leur effet n'est pas immédiat, ils peuvent entraîner des effets secondaires importants et certains patients y sont réfractaires. Par conséquent, ils ne peuvent être administrés que si le patient fait l'objet d'une surveillance étroite. Ces médicaments se révèlent efficaces dans 50 % des cas, surtout lorsque la dépression est sérieuse. Pour les dépressions mineures, leur utilité est presque nulle.

En complément, une psychothérapie est toujours nécessaire. Celle-ci pourra s'effectuer chez votre médecin de famille, ou mieux chez le psychiatre.

Sachez enfin qu'il faut être patient. Vous devinez bien que la déprime qui a mis trois mois à s'installer ne s'évanouira pas en trois jours. Mais à tout malheur, bonheur est bon. Connaître la déprime est une étape. La vaincre permet ensuite de vivre mieux puisqu'il a fallu pour cela résoudre ses problèmes personnels. À condition de savoir tendre la main à temps. Sans honte.

La prévention

Le diagnostic précoce et la prise en charge complète des troubles récidivants de l'humeur permettent de minimiser les complications de la dépression. Même si le dépistage systématique de la dépression chez les sujets asymptomatiques au moyen de questionnaire n'améliore pas le taux de détection, les cliniciens doivent être conscients de la possibilité que leurs patients soient atteints de dépression. Chez le patient à risque élevé présentant des antécédents familiaux de suicide et évoquant son propre suicide, la présence de risques cliniques traditionnels et d'indications sociodémographiques (toxicomanie, chômage, manque de soutien social) imposent une vigilance clinique accrue et l'adoption de mesures préventives spécifiques (hospitalisation, surveillance assidue et psychothérapie).

Difficile de parler de prévention primaire pour la dépression puisque cette maladie peut atteindre n'importe qui, sans prévenir. Néanmoins, quelques « bonnes habitudes » permettent de limiter son risque d'apparition :

- Pour combattre la dépression, il faut commencer par connaître son seuil de résistance (Tableau 10) pour ensuite évaluer son capital d'énergie.

- Consacrer chaque jour un minimum de temps à la relaxation, la détente, au repos. Choisir parmi les différentes techniques de relaxation, celle qui s'adapte mieux à votre personnalité, à votre style de vie et à la situation stressante que vous vivez. La relaxation active consiste à tendre et à relâcher tour à tour les muscles du corps, en général de la tête aux pieds. Il est possible d'utiliser une technique de relaxation passive, qui consiste à chasser toute pensée de l'esprit (faire le vide) pour se concentrer sur une simple phrase ou sur un son. Dans les deux méthodes, l'accent est mis sur le contrôle de la respiration (respiration profonde) car l'hyperventillation (respiration rapide et superficielle) crée ou accroît l'anxiété. Une fois maîtrisées, les techniques peuvent être mises en pratique dans toute situation potentiellement stressante. Les méthodes traditionnelle de concentration, comme le yoga et la méditation, emploie des techniques de même nature.

- Il faut surtout apprendre à retrouver l'équilibre intérieur. Parmi les techniques les plus connues figurent l'hydrothérapie, la méditation, la visualisation, l'acupuncture (Figure 34), la massothérapie et la réflexologie (Figure 35), l'auriculothérapie, la musicothérapie et le rire. Le Tai-ji-quan, l'une des plus ancienne disciplines de la médecine chinoise (Figure 36), fait circuler les

TABLEAU 10.

CALCUL DU SEUIL DE RÉSISTANCE

AUX ÉVÉNEMENTS STRESSANTS ACTUELS ET ANTICIPÉS

Test	1	2	3	4	5
Avez-vous le sentiment que tout vous échappe ?					
Êtes-vous anxieux ou pris de panique ?					
Êtes-vous frustré ?					
Êtes-vous en colère et irrité ?					
Vous trouvez-vous dans une situation sans issu ?					
Avez-vous le sentiment d'être piégé ?					
Êtes-vous mélancolique et dépressif ?					
Vous sentez-vous coupable ?					
Êtes-vous toujours gauche et timide ?					
Êtes-vous toujours agité, manquez-vous de repos ?					
Total pour les événements actuels					
Total pour les événements anticipés					
Total cumulatif					

1 = jamais ; deux = rarement ; trois = occasionnellement ; quatre = fréquemment ; cinq = toujours

1 à 30 points : Vous n'avez aucune raison de vous alarmer, votre niveau de stress est tout à fait normal.

30 à 53 points : vous devriez vous inquiéter et être vigilant ; il faudrait essayer de réduire cet état de stress. Plus de 53 points : vous devriez vous inquiéter sérieusement et vous mettre à la rechercher de moyens efficaces pour maîtriser cet état de stress.

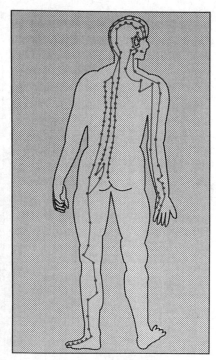

Figure 34. *Les points d'acu-*
puncture qui mobilisent le
Qi à l'intérieur et imprègnent
un mouvement, un courant
d'énergie.

énergies du Qi (influx vital), cette fameuse notion fondamentale si difficile à définir, et développe une force musculaire. Le Qi est une énergie nourricière de la santé. Le
Tai-ji-quan est basé pour ce qui est des mouvements sur
l'équilibre du yin et du yang. Chaque mouvement de
tension est suivi d'un mouvement de détente. Nous
avons donc là également les fondements d'un art
martial.

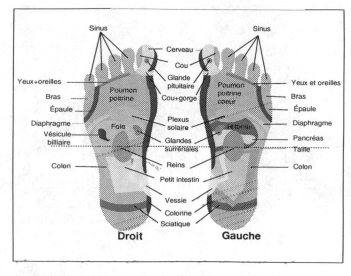

Figure 35. *Les points de réflexologie utilisés en massothérapie*

- Se reposer, ne pas se croire irremplaçable.
- Pratiquer une activité physique régulièrement, idéale pour évacuer le stress de la semaine.
- Dédramatiser et prendre un recul quand survient une difficulté (conflits familiaux ou professionnels, mauvais résultats scolaires d'un enfant, etc.)
- Ne pas ressasser sans cesse les mêmes problèmes. Après une période de crise, essayer de tourner la page et faire de nouveaux projets.
- Se faire plaisir.
- Cultiver ses amitiés et rester positif.
- Rester actif, tout en évitant les excès.

Figure 36. *Le Tai-ji-quan est une gymnastique intérieure, une voie vers un retour à l'équilibre, vers des retrouvailles avec soi-même et avec les autres.*

- La recherche de la luminosité et la réussite profession- nelle représentent des sources inépuisables d'énergie propre à combattre la dépression.

- En thalassothérapie, l'aubépine a une action sédative sur le système nerveux. Elle est à la fois calmante et anti- spasmodique, et permet de lutter contre les insomnies. En améliorant les différents symptôme du stress (angoisses, troubles du sommeil, spasmes digestifs, maux de dos, etc.), l'aubépine apporte un soulagement rapide. Même si elle ne supprime pas les causes du stress, elle permet de mieux supporter les conséquences. Par son action apai- sante, l'aubépine présente de nombreux avantages sur les traitements médicamenteux chimiques dont on connaît les inconvénients. De nombreux médecins associent sou- vent l'aubépine à d'autres plantes sédatives, comme la passiflore, l'echoltzia ou la valériane.

LE BURNOUT OU SYNDROME D'ÉPUISEMENT PROFESSIONNEL

Le surmenage, ou épuisement professionnel, une notion de plus en plus répandue qui fait l'objet d'un grand nombre de recherches, est considéré comme une forme particulière de dépression rattachée spécifiquement au travail. Ce syndrome, qui est l'aboutissement d'un continuum de stress au travail, comporte trois éléments essentiels : l'épuisement général (physique, émotionnel et mental), la dévalorisation de soi-même (défaitisme, isolement, dépression) et un mauvais rapport à autrui (déshumanisation, perte d'idéalisme, cynisme). Les sources de l'épuisement professionnel résident essentiellement dans un déséquilibre entre l'individu et son environnement au travail. Plusieurs paramètres sont impliqués :

- **Le contenu de la tâche**. En général, la disparité entre le niveau de stimulation recherché par le travailleur et le niveau effectivement offert par son environnement au travail provoque un déséquilibre.
- **L'environnement physique, occupationnel et organisationnel**. Un environnement physique malsain (absence de contrôle sur l'éclairage, la température, le tabagisme et les sources de bruit) ou un aménagement à aires ouvertes jouent dans certains cas un rôle déterminant. Les situations occupationnelles à risque sont marquées par un déséquilibre entre la charge de travail ou le mandat et les moyens disponibles pour y répondre : surcharge de travail, heures supplémentaires, absence de responsabilités, ou respectabilités sans pouvoir réel. La médiocrité des relations interpersonnelles, une structure organisationnelle déficiente (monotonie, mauvaises politiques, incompétence des cadres), l'absence de

perspectives de carrière (ambiguïtés et conflits au sujet du rôle de chacun, sous-utilisation des habiletés) et le manque d'encouragement et de soutien favorisent l'épuisement professionnel.

- **Les traits de personnalité.** Plusieurs études considèrent enfin comme déterminant le contrôle qu'exerce l'individu sur son environnement. Des objectifs irréalisables, un rôle mal clarifié et l'absence d'autonomie au travail constituent autant de sources d'insatisfaction. Le concept de contrôle tient compte aussi de la perception qu'a l'individu de son environnement ; soit qu'il se considère comme responsable de ses actes, de ses échecs ou de ses succès, ou qu'il attribue à d'autres ou au hasard les événements qui le concernent.

Le surmenage professionnel frappe principalement les travailleurs des domaines de la santé, de l'éducation et de l'assistance sociale. Dans le domaine de la santé, par exemple, la surcharge quantitative et qualitative paraît inévitable dans la mesure où la demande est potentiellement illimitée et où le résultat est toujours comparé à une norme idéale : la guérison **complète de tous** les patients.

Parmi ces professionnels, les individus animés d'un désir et d'un souci constants de performance et de réussite, ceux qui confèrent à leur profession un rôle vital dans la régulation de l'estime de soi, et ceux qui ne disposent pas d'autres sources significatives de satisfaction apparaissent comme les plus vulnérables. Par ailleurs, les femmes qui cumulent deux rôles (tâches domestiques et travail rémunéré) sont, davantage que les hommes, prédisposées à souffrir de cette maladie. L'inflexibilité des horaires de travail, la difficulté à contrôler la charge de travail et la monotonie des tâches

exécutées contribuent également à l'émergence de l'épui
sement professionnel.

Le diagnostic

Les spécialistes du surmenage professionnel ont établi des
relations significatives entre cette maladie et une variété de
symptômes physiques et émotionnels dont voici les plus
importants :

- Une perte graduelle de satisfaction au travail.
- L'apparition d'une série de problèmes de santé mineurs :
  insomnie, perte d'appétit, fatigue chronique et excessive, manque d'énergie et de vitalité, souffle court, maux
  de tête, migraines, rhumes, maux de dos et du cou,
  asthme et sensibilité accrue aux infections (rhumes per-
  sistants, bronchites chroniques).
- Une perte graduelle de confiance en soi et en sa compétence.
- Une accentuation des problèmes d'ordre émotif : irritabilité, tension, anxiété, peur, colère, chagrin, dépression
  et découragement ; lesquels entraînent l'isolement.
- La détérioration graduelle du rendement et de la produc-
  tivité s'accompagnant d'oublis et de troubles de concentration, d'incertitude quant à son jugement, d'indécision
  et de confusion vague. Les retards, les absences, l'apathie et la retraite prématurée représentent autant de
  moyens de fuite.
- Des changements graves en ce qui a trait au comportement social : agressivité, alcoolisme, toxicomanie,
  mésentente conjugale, attitude cynique à l'égard du travail et sentiment profond d'aliénation.

En général, les spécialistes identifient quatre étapes
importantes caractéristiques du burnout : premièrement,

enthousiasme idéaliste ; deuxièmement, la stagnation et la diminution graduelle de l'intérêt et de l'enthousiasme, qui font en sorte que la personne préfère rester chez elle plutôt que de se rendre au travail ; troisièmement, la frustration et la remise en question de la pertinence et de la valeur du travail comme tel ; et quatrièmement, l'apathie : la personne se sent continuellement frustrée au travail, elle évite les défis et a tendance à travailler le moins possible.

La prévention

Les experts préconisent certaines mesures individuelles, collectives ou organisationnelles susceptibles d'agir à différents niveaux pour prévenir l'épuisement professionnel.

* **Sur le plan individuel**. La personne qui éprouve les symptômes décrits précédemment doit d'abord identifier la source du malaise afin d'adopter une stratégie favorisant l'adaptation à la situation stressante vécue dans son milieu de travail. Sa tâche première consiste à se fixer des objectifs réalistes basés sur ses forces et ses faiblesses. Il doit éviter la surcharge de travail et entretenir une bonne communication avec ses collègues et ses supérieurs. Puisque la condition physique influe inévitablement sur la santé mentale, l'activité physique régulière constitue une soupape efficace pour évacuer le stress psychologique ; l'intégration de la relaxation à la routine journalière, en prenant soin de son alimentation et en maintenant un poids-santé, permet de maximiser le potentiel d'énergie. Il faut garder à l'esprit que, si certains aliments fournissent de l'énergie (glucides, vitamines, minéraux et oligoéléments), d'autres la brûlent (sucre, café, sel, graisses).

- **Rôle de l'employeur.** Il est primordial que les administrateurs et les gestionnaires d'entreprise se penchent sur le problème du surmenage professionnel afin de concevoir et de mettre en place des programmes préventifs adéquats et efficaces. Dans cette perspective, il convient de :

- Recruter des candidats solides sur le plan psychologique pour les emplois stressants, ou préparer plus adéquatement les nouvelles recrues à affronter et à maîtriser le stress du travail.

- Permettre aux individus qui exercent des fonctions de premier plan de participer à la prise de décisions lorsque celles-ci influent directement sur leur travail.

- Proposer un horaire de travail plus flexible et implanter un système de rotation du personnel (tous les trois ans) afin d'éviter la monotonie. Il faut aussi diversifier les tâches de travail et encourager la coopération entre les employés.

- Favoriser le travail à temps partiel pour diminuer les surcharges de travail.

- Favoriser la communication entre employés et patrons.

- Intégrer au milieu de travail des modèles d'aide sociale, soit en constituant des équipes, soit en consacrant du temps (et des réunions) à discuter des différents problèmes rencontrés au travail.

- Renseigner adéquatement le personnel (nouveau et ancien) sur les conséquences tragiques de l'épuisement professionnel.

- Intégrer au milieu de travail des salles d'entraînement. La rentabilité des programmes d'activité physique accessibles le midi et durant les pauses-santé ne fait plus aucun doute aujourd'hui.

Dans ce contexte, une préparation adéquate (ateliers, conférences et autres) parvient souvent à convaincre les individus même les plus réticents à participer aux diverses mesures préventives qui sont mises en place.

Cinq bons conseils
pour aider un déprimé
ou une personne en burn-out

- **Comprendre.** La personne déprimée souffre, elle ne fait donc pas exprès d'être lente, de ne pas réagir comme avant. Difficile à admettre, mais indispensable.
- **Rassurer.** C'est le maître mot. Répétez-lui souvent que vous êtes consciente que son état est passager, que cela ne change rien aux sentiments que vous lui portez, qu'elle va se sortir de cette mauvaise passe si elle accepte de l'aide.
- **Ne pas le culpabiliser.** Ses sautes d'humeur sont dues à son état, pas à votre attitude, qui doit rester attentive sans devenir pesante. L'excès de sollicitude n'est pas bon.
- **Éviter les boissons alcoolisées.** Prendre l'apéritif, c'est convivial. Le lui proposer souvent, c'est lui fournir une solution de facilité qui peut se retourner contre elle.
- **L'encourager.** Il ne faut pas tout décider à sa place. Au contraire, incitez-la à décider, chaque jour, une chose qui lui fait plaisir : un plat, une promenade, le film du soir à la télé, etc. La personne déprimée a besoin de retrouver des sensations et des envies personnelles.

Chapitre 4

La sexualité et la reproduction

La reproduction est le processus qui permet le maintien de la vie. C'est en un sens le processus par lequel une cellule reproduit son matériel génétique, ce qui permet à l'organisme de se développer et de réparer lui-même ses blessures ; par conséquent, la reproduction nous maintient en vie. Toutefois, la reproduction constitue également le processus par lequel le matériel génétique est transmis d'une génération à une autre. En ce sens, la reproduction assure la perpétuation de l'espèce humaine.

On peut regrouper les organes des appareils de reproduction de l'homme (Figure 37) et de la femme (Figure 38) d'après leurs fonctions. **Les testicules** et **les ovaires** (gonades) produisent **les gamètes** (spermatozoïdes et ovules) et les hormones sexuelles. **Les canaux** transportent, reçoivent et entreposent les gamètes. D'autres organes sexuels internes (**prostate, utérus**) et externes (**pénis, vagin**), ainsi que

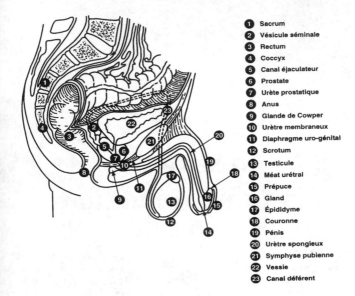

1. Sacrum
2. Vésicule séminale
3. Rectum
4. Coccyx
5. Canal éjaculateur
6. Prostate
7. Urète prostatique
8. Anus
9. Glande de Cowper
10. Urètre membraneux
11. Diaphragme uro-génital
12. Scrotum
13. Testicule
14. Méat urétral
15. Prépuce
16. Gland
17. Épididyme
18. Couronne
19. Pénis
20. Urètre spongieux
21. Symphyse pubienne
22. Vessie
23. Canal déférent

Figure 37. *Les organes reproducteurs (internes et externes) de l'homme*

les **glandes sexuelles** sécrètent des substances qui soutiennent les gamètes.

MALADIES ET DYSFONCTIONS DE L'APPAREIL REPRODUCTEUR DE LA FEMME

Le syndrome prémenstruel (SPM)

Le SPM est défini comme l'apparition cyclique d'une combinaison de signes et de symptômes physiques, psycholo-

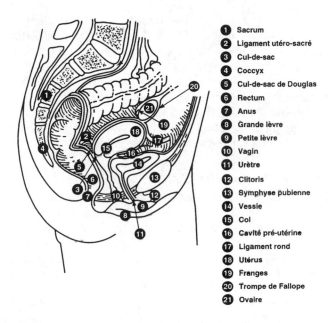

1. Sacrum
2. Ligament utéro-sacré
3. Cul-de-sac
4. Coccyx
5. Cul-de-sac de Douglas
6. Rectum
7. Anus
8. Grande lèvre
9. Petite lèvre
10. Vagin
11. Urètre
12. Clitoris
13. Symphyse pubienne
14. Vessie
15. Col
16. Cavité pré-utérine
17. Ligament rond
18. Utérus
19. Franges
20. Trompe de Fallope
21. Ovaire

Figure 38. *Les organes reproducteurs de la femme*

giques ou comportementaux suffisamment sévères pour perturber les activités habituelles et les relations interpersonnelles. Les symptômes débutent au moment de l'ovulation (14ᵉ jour du cycle), atteignent leur paroxysme juste avant les menstruations et disparaissent dès les premiers jours des menstruations. Les symptômes les plus caractéristiques sont les maux de tête, la tension mammaire, l'irritabilité et l'instabilité émotionnelle.

La cause du SPM est loin d'être connue. Certains chercheurs rattachent ce syndrome au déséquilibre hormonal qui caractérise la fin du cycle menstruel. L'hypersécrétion d'œstrogènes favorise la rétention d'eau et l'augmentation transitoire de liquide dans les différents tissus du corps, ce qui expliquerait les symptômes tels que la tension mammaire, l'œdème, la prise de poids transitoire et l'oligurie (passage fréquent des urines). D'autres soutiennent que le SPM est dû à une production anormale de prostaglandines ou à une hypersécrétion de certaines substances opioïdes (les endorphines, par exemple) par le cerveau.

L'ampleur du problème

Environ quatre millions de Canadiennes souffrent du SPM, mais, fort heureusement, seulement 10 % des femmes touchées requièrent un traitement sans lequel elles ne pourraient fonctionner normalement. L'incidence et l'intensité des symptômes augmentent avec l'âge, les femmes de plus de 30 ans étant les plus atteintes ; des facteurs sociaux, culturels et ethniques peuvent par ailleurs influer sur la prévalence du SPM. En Amérique du nord, le SPM est la première cause d'absentéisme au travail chez les femmes.

Le diagnostic

Les symptômes eux-mêmes importent moins pour le diagnostic que leur présentation cyclique. Vous pourrez vous-même poser ce diagnostic en suivant la liste des symptômes du tableau 11. Au bout de deux ou trois mois, vous devriez être en mesure de déterminer si le profil est cyclique. Les symptômes du SPM durent de cinq à 10 jours et se répètent pendant au moins deux cycles menstruels consécutifs.

Une fois que vous avez fait le diagnostic d'un SPM, l'examen clinique chez un spécialiste ou un omnipraticien éliminera les autres causes possibles des symptômes, entre autres:

TABLEAU 11.
AUTO-ÉVALUATION POUR DIAGNOSTIQUER LA **SPM**

Notez la date de vos menstruations. Notez également sur le tableau la date d'apparition des symptômes ressentis. Accordez une note à chaque symptôme :

0 = ne pose aucun problème ; 1 = léger ; deux = entrave l'exécution des tâches et activités habituelles ; trois = insupportable.

Après deux ou trois cycles, observez si les symptômes que vous avez ressentis démontrent un profil cyclique, c'est-à-dire s'ils se manifestent au 14e jour du cycle pour atteindre leur paroxysme juste avant les menstruations et régresser quelques jours après les

le diabète, l'anémie, la fatigue chronique ou les problèmes psychiatriques. Les patientes sont aussi invitées à passer différents examens de santé, comme une évaluation gynécologique et une évaluation des fonctions thyroïdiennes, hépatiques, rénales et un examen du sang.

Le traitement

Le traitement du SPM est symptomatique. On peut combattre la rétention hydrique en réduisant la consommation de sel. On prescrit un **diurétique** (par exemple, de 50 à 100 mg par jour d'hydrochlorothiazide) seulement pour les formes sévères. Ce traitement doit être entrepris juste avant la date d'apparition des symptômes.

Plusieurs **traitements hormonaux** parviennent à éliminer, chez certaines femmes, les variations cycliques. C'est le cas des contraceptifs oraux, de la progestérone naturelle en ovules (200 à 400 mg/ jour) ou sous forme injectable (5 à 10 mg pendant 10 à 12 jours avant les menstruations) et des progestatifs à action prolongée (Médroxyprogestérone, 200 mg tous les deux ou trois mois). Dans les cas plus sévères, on prescrit généralement le danazol (Cyclomen), un agent antigonadotropique qui bloque l'ovulation. Dans ce cas, il faut redoubler de précautions en raison des effets secondaires multiples des fortes doses de ce médicament (acné, hirsutisme, gain de poids, œdème, bouffées de chaleur, crampes musculaires, saignements intermenstruels, sécheresse vaginale et réduction du libido). Il existe aussi un léger risque de dommages au foie et d'accélération de l'ostéporose. Chez certaines femmes, l'administration du Danazol aggrave les symptômes de façon significative, tandis que chez d'autres se développent des infections génitales. On sait par ailleurs qu'à faible dose le danazol peut, à long terme, devenir tératogène (à l'origine d'anomalies congénitales). Des **tranquillisants** comme l'alprazolam (Xanax), peuvent être prescrits aux patientes irritables, nerveuses, ayant de la difficulté à se dominer, en particulier si elles ne peuvent modifier leurs habitudes de vie.

La prévention

L'éducation et le soutien de la patiente sont primordiaux car, mal compris, le SPM est une réalité parfois difficile à assumer. Le fait d'être écoutée, rassurée et de pouvoir discuter de l'impact de son état sur le quotidien constitue pour plusieurs un contexte des plus favorables. La prise de conscience et la coopération de la patiente sont également essentielles puisque celle-ci devra traverser l'étape importante des changements dans ses habitudes de vie ; la combinaison **alimentation/ repos/ exercice** est tout particulièrement bénéfique. L'augmentation de la consommation de protéines, la diminution des glucides et l'élimination des stimulants (alcool, thé, café, colas, sucre raffiné) et des graisses d'origine animale allègent sensiblement les symptômes. Il faut aussi réduire la consommation de sel pendant les 14 derniers jours du cycle menstruel. Par ailleurs, certaines vitamines peuvent enrayer les symptômes du SPM ; par exemple, la **vitamine B6** (environ 50 mg, deux fois par jour pendant deux ou trois mois) améliore souvent les problèmes de rétention d'eau, alors que la **vitamine E** diminue surtout les douleurs aux seins. Le **calcium** a, quant à lui, un effet positif sur l'humeur. L'absorption quotidienne de 500 mg de **magnésium**, d'**huile de graines d'onagre** (contient de l'acide linoléique qui est nécessaire au bon fonctionnement du système endocrinien), associée à un régime riche en **fer**, contribue également à atténuer les symptômes.

Essentiel à la synthèse de l'hormone prostaglandine E1, le **zinc** produit un effet positif sur l'équilibre hormonal et stimule la production de neurotransmetteurs, lesquels influent sur l'état mental et émotionnel de la femme. De plus récentes études ont démontré que la combinaison **vitamine A/ zinc** atténue 85 % des symptômes du SPM. Dans ce contexte, il faut éviter les mégadoses de vitamines et de minéraux ; une surveillance médicale s'impose pour écarter les risques de toxicité.

Par ailleurs, on recommande fortement aux femmes qui souffrent du SPM de faire plus d'exercice et d'adopter des mesures simples pour maîtriser leur stress. On pense notamment aux diverses techniques et thérapies de relaxation telles que le yoga, la méditation, la psychothérapie individuelle ou en groupe, la relaxation musculaire et l'imagerie visuelle. Le sport paraît également tout indiqué car, faire du sport régulièrement permet au corps de sécréter de l'endorphine, un neurotransmetteur chimique qui est associé à la réduction de la douleur.

Les pertes blanches (leucorrhées)

Pendant la période de vie génitale active, les pertes blanches aqueuses ou muqueuses proviennent du col de l'utérus, d'une desquamation des cellules vaginales et des petites glandes sexuelles (dites de Skème et de Bartholin) situées dans la zone génitale. Elles sont plus abondantes au moment de l'ovulation, c'est-à-dire au 14e jour du cycle menstruel. Normalement, la flore vaginale contient des bactéries, principalement des lactobacilles et des corynébactéries, ainsi qu'un petit nombre de champignons ; le pH se situe autour de 4,5. Des taux hormonaux élevés (grossesse et prise de contraceptifs oraux) peuvent modifier cette flore vaginale.

Certaines femmes ont, en temps normal, des pertes blanches abondantes (**leucorrhées physiologiques**). Bien que ces pertes soient gênantes en raison d'une sensation d'humidité et de vêtements souillés, elles sont inodores. Par contre, les **vaginites bactériennes** se caractérisent par des pertes jaunâtres d'odeur nauséabonde que plusieurs comparent à une odeur de poisson (Tableau 12). Elles s'accompagnent souvent de démangeaisons importantes dans la région du vagin et, parfois, de la vulve, de douleurs lors des rapports sexuels (dyspareunie), de picotements ou d'une sensation de brûlure au niveau de la vulve lors de la miction (cystite). Ces caractères traduisent quelquefois une infection locale d'origine bactérienne (trichomonase, candidose) fréquente chez les femmes enceintes et les diabétiques ; les contraceptifs oraux peuvent aussi en favoriser la survenue. Ces bactéries sont souvent introduites lors des rapports sexuels, si le partenaire en est porteur (gonocoque ou trichomonas, par exemple), ou proviennent de l'anus lors de la toilette intime.

Le diagnostic

La couleur, l'odeur et la viscosité des pertes permettent de distinguer les écoulements normaux de l'infection bactérienne (Tableau 12). L'inspection du vagin, la mesure du pH et le prélèvement de sécrétions à l'aide d'un coton-tige sont effectués à l'aide d'un spéculum lubrifié à l'eau. Les échantillons sont étalés sur deux lames et l'odeur du dernier échantillon est en même temps contrôlée.

L'examen au microscope permet de détecter la présence de bactéries et d'identifier celles-ci ; par exemple, le *Trichomonas vaginalis* se présente sous la forme de bâtonnets courts. L'inspection du col de l'utérus est suivie d'un frottis cervical.

TABLEAU 12.

CARACTÉRISTIQUES DES SÉCRÉTIONS VAGINALES SELON LA NATURE DE L'INFECTION

Caracté-ristiques	Couleur	Odeur	Viscosité	pH	Autres caracté-ristiques
État normal	Blanc	Aucune	Forte	4,5	
Candidase	Blanc	Aucune	Forte	4,5	Aspect du lait caillé
Tricho-monase	Jaune-vert	Nauséa-bonde	Faible	4,5	Aspect mousseux, écumeux
Vaginite bacté-rienne	Jaune-gris	Nauséa-bonde	Faible	4,5	Pertes très épaisses et odeur plus marquée après une relation sexuelle

Le traitement

Certains homéopathes suggèrent des traitements locaux à base de produits naturels comme le yaourt nature appliqué à l'heure du coucher (le yaourt contient des lactobacilles capables de restaurer la flore naturelle). Des capsules de yaourt sont également vendues en pharmacie ou dans les magasins de produits naturels. Les gélules de **vitamine E** et les ampoules de vitamine E/sélénium/amphosca ralentissent le processus de vieillissement et le durcissement des tissus. Les infections vaginales d'origine bactérienne relèvent d'un traitement plus spécifique.

La prévention

Certaines habitudes risquent de rendre le vagin trop acide, perturbant ainsi l'équilibre de la flore vaginale et favorisant les infections. Par conséquent, toute femme devrait connaître les quelques notions d'hygiène intime qui suivent.

- Ne faites jamais plus d'une toilette vulvaire par jour.
- Veillez à ne pas introduire de savon dans votre vagin (il faut éviter les douches et les injections vaginales).
- Bannissez aussi les savons acides ou antiseptiques qui détruisent certaines bactéries bénéfiques comme les lactobacilles, entraînant ainsi un déséquilibre dans la flore vaginale normale.
- Faites votre toilette vulvaire vers l'avant et la toilette anale vers l'arrière pour éviter la contamination par des germes provenant de l'anus.
- Évitez le port de vêtements trop serrés et de sous-vêtements en nylon qui favorisent les irritations. Portez plutôt des sous-vêtements dont l'entre-jambes est en coton.

L'endométriose

L'endométriose est une maladie bénigne qui se caractérise par la croissance de tissu endométrial (muqueuse utérine) hors de l'utérus. Ce tissu se retrouve alors dans la cavité péritonéale, plus particulièrement sur les ovaires, les trompes et la cloison recto-vaginale (Figure 39). On en retrouve plus rarement au niveau du muscle utérin lui-même, de l'intestin grêle et du côlon, du rectum, des seins, des parois du vagin, de la vessie et de la cavité pleurale. L'endométriose s'étend, comme un processus malin, en surface (péritoine) et en profondeur (organes pelviens). Ces îlots de muqueuse endométriale aberrante réagissent, tout comme la muqueuse utérine normale, aux sollicitations hormonales,

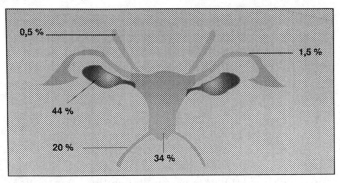

Figure 39. *Distribution relative de l'endométriose*

se développant sous l'influence des œstrogènes et de la progestérone, et saignant au moment où le taux hormonal chute dramatiquement, la veille des menstruations. Puisque ces tissus sont confinés à un milieu fermé, le saignement provoque des kystes qui grossissent lentement. C'est ce qui explique le caractère douloureux de l'endométriose et sa progression lente et insidieuse.

Les causes

Même si l'on connaît mal les causes de cette maladie, l'hypothèse la plus largement acceptée est celle selon laquelle les cellules endométriales sont véhiculées vers la cavité péritonéale via les trompes de Fallope, et vers les sites éloignées(seins, cavité pleurale) via le sang et la lymphe. Bien que l'incidence rapportée de l'endométriose varie, on rencontre plus fréquemment celle-ci chez les femmes âgées entre 25 et 44 ans. Avant 20 ans, elle reste exceptionnelle, et est presque toujours associée à un blocage mécanique, par exemple une malformation de l'utérus ou du col. Par ailleurs, l'endométriose régresse spontanément après une grossesse ou autour de la ménopause.

Cette maladie ne frappe pas au hasard ; un **terrain particulier** (à la fois psychologique et hormonal) semble en effet y prédisposer certaines catégories de femmes.

- L'endométriose atteint plus fréquemment les femmes blanches. Elle est rare en Afrique du Nord et exceptionnelle en Afrique noire.
- Les femmes minces, intelligentes et perfectionnistes, de même que les femmes hypertendues et anxieuses, semblent être plus touchées.
- Il existe des preuves d'une prédisposition familiale dans 6 % des cas.
- Les femmes tardivement réglées ou dont les cycles sont irréguliers (cycles trop courts ou menstruations de plus de huit jours, par exemple) sont plus touchées.
- Une grossesse tardive ou une infertilité est observée dans 30 % à 40 % des cas d'endométriose.

Les symptômes

Du point de vue symptomatologique, l'endométriose est imprévisible. Certaines femmes sévèrement atteintes sont asymptomatiques, alors que d'autres, moins touchées, souffrent de douleurs invalidantes. Il est fréquent qu'aucun symptôme ne dénonce la présence d'une endométriose qui, dès lors, reste ignorée. C'est souvent par hasard qu'une masse ou un nodule est découvert lors d'une intervention chirurgicale ou d'une imagerie pratiquées dans le cadre d'une autre affection. Les manifestations cliniques se traduisent par une stérilité inexpliquée (blocage des trompes, par exemple), une masse pelvienne, des saignements, une faible résistance aux infections, des allergies étendues et des problèmes connexes.

Toutefois, le signe le plus fréquent reste **la douleur**. Celle-ci survient souvent pendant les règles (dysménorrhée), surtout vers la fin. Elle est souvent localisée dans l'abdomen et le dos, s'intensifiant vers le troisième ou le quatrième jour des menstruations, et s'aggravant d'un cycle à l'autre. Elle peut aussi se manifester pendant les rapports sexuels (dyspareunie) ou lors du passage des selles et d'urine, surtout pendant les menstruations.

Dans certains cas, la femme souffre d'une douleur sourde et persistante dans le bas-ventre en période ovulatoire, parfois accompagnée d'une sensation de « traction pénible vers le bas » pouvant se prolonger jusqu'aux règles ; une femme sévèrement atteinte souffre parfois plus de quinze jours par mois et ne connaît de répit que pendant la semaine qui suit ses règles.

Le diagnostic

Le dossier du cas et l'examen physique de la patiente révéleront la présence de masses ou de nodules suspects. Pour faciliter le diagnostic, souvent difficile à établir, on pourra avoir recours à l'imagerie (hystérographie, coelioscopie ou laparoscopie exploratoire) dont les résultats seront confirmés par une biopsie. L'hystérographie montrera des images caractéristiques : un utérus en forme de parasol ou de champignon à bords rigides, des trompes étirées vers le haut, des images en « boules de gui » autour de la cavité utérine et des trompes. L'utilisation des nouvelles techniques de diagnostic (ultrasonographie, imagerie par résonance magnétique nucléaire) permet de distinguer les kystes, les abcès et les tumeurs solides. La cancérisation d'un foyer d'endométriose reste exceptionnelle (moins de 1 % des cas). La classification de la maladie en quatre stades se fonde essentiellement sur l'étendue des lésions dans le péritoine et dans le bassin, ainsi que sur la présence et l'importance des adhérences au niveau du péritoine (Figure 40) : selon le cas, la maladie sera classée minime, légère, modérée ou sévère. Cette classification guidera le choix du traitement.

Le traitement

Le traitement, individualisé, varie selon l'âge de la patiente, les symptômes, le désir de grossesse et l'ampleur

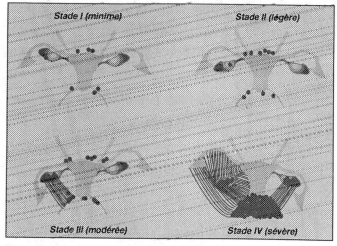

Figure 40. *Classification de l'endométriose en quatre stades. Dans les stades I et II les lésions sont soit minimes ou légères et les adhérances péritonéales n'exitent pas. Par ailleurs, dans les stades III et IV, les lésions sont modérées ou sévères et le niveau d'ahérence au péritoine est plus ou moins grande (Stade III et IV) (selon « l'American Fertility Society »).*

de la maladie (Figure 40). Les cas d'endométriose **minime ou légère** ne nécessitent aucun traitement. Un régime équilibré et varié, de l'exercice physique pratiqué régulièrement et la maîtrise du stress psychologique aideront énormément la patiente. Si le nodule ou la masse est bien circonscrit, une simple intervention chirurgicale suffira à enrayer le problème.

Dans les cas d'endométriose **modérée ou sévère**, le traitement consiste en une inhibition médicale de la fonction ovarienne ayant pour but d'interrompre la croissance et l'activité des implantations endométriales, en une résection chirurgicale, ou en une association des deux interventions. Les principaux médicaments utilisés sont la médroxyprogestérone (Depo-provera, Provera), le **danazol**. Les contraceptifs oraux cycliques administrés après le traitement médical sont justifiés pour les femmes désirant retarder une grossesse.

L'hystérectomie totale, avec ou sans conservation des annexes (Figure 41), constitue le seul traitement définitif ; elle est toutefois réservée aux patientes souffrant d'une douleur pelvienne persistante et qui ne désirent plus de grossesse. À la suite de l'hystérectomie, on entreprendra immédiatement un traitement de substitution que l'on pourra retarder de quatre à six mois en cas de lésions importantes.

Perspectives d'avenir en matière de traitement

*   **La chirurgie par laparoscopie.** Mise au point en Oregon, aux États-Unis, par le docteur Redwine[14], la chirurgie par laparoscopie est pratiquée sous anesthésie générale. Le laparoscope (petit instrument semblable au périscope d'un sous-marin) est inséré dans l'abdomen, et permet de visualiser les organes pelviens ; de minus-

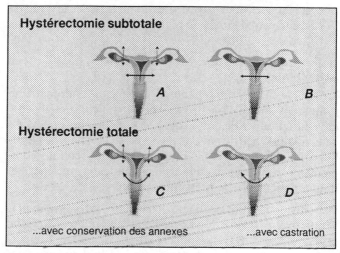

Figure 41. *Le type d'hystérectomie dépend essentiellement de l'étendue du problème et de l'âge de la patiente. On peut choisir soit une hystérectomie subtotale et préserver le col de l'utérus et les ovaires (A) ou le col de l'utérus seulement (B). Par ailleurs, dans l'hystérectomie totale, l'utérus est entièrement enlevé; toutefois, les ovaires peuvent être (C) ou non préservés (D).*

cules ciseaux de 3 mm de diamètre coupent et brûlent (électrocoagulation) tous les îlots de muqueuses aberrantes et les cicatrices (foyers de fibroses et adhésions) étendues. Cette technique permet en outre la résection de certains nerfs et, ainsi, le soulagement presque instantané des douleurs persistantes et sévères. La chirurgie par laparoscopie comporte certains risques, mais le taux de guérison des patientes dépasse les 81 %.

- **La chirurgie au laser** trouve ici une application toute particulière en permettant la destruction d'un maximum d'adhérences et de foyers d'endométriose. À la suite de ce traitement, la maladie régresse chez plus de 80 % des patientes.

La prévention

La grande majorité des femmes atteintes d'endométriose restent des années dans l'ignorance complète de leur état, croyant éprouver des douleurs menstruelles normales. La détection précoce de cette maladie passe donc par la sensibilisation du grand public. Il importe que les femmes comprennent la maladie et en reconnaissent les symptômes : **la douleur menstruelle n'est pas normale**.

Personne ne devrait négliger l'examen gynécologique préventif, très révélateur à cet égard. En matière de prévention primaire, les experts soutiennent qu'un changement important dans le régime peut minimiser les douleurs dès leur apparition : une diminution de l'apport des graisses d'origine animale et une augmentation substantielle de la quantité de fruits et de légumes sont dans ce cas fortement recommandées. L'exercice physique régulier (sept heures par semaine) réduit de 80 % les risques de développer cette maladie.

Le prolapsus de l'utérus

Le prolapsus de l'utérus consiste en la descente de l'utérus dans le vagin. Tous les degrés de prolapsus peuvent se rencontrer depuis un déplacement minime jusqu'à la procidence qui se traduit par la sortie de l'utérus par la vulve. Lorsque les ligaments et les muscles de l'abdomen perdent leur tonicité et leur élasticité, l'utérus et le col s'affaissent vers le bas, s'enfonçant graduellement dans le vagin en entraînant parfois la vessie (cystocèle) et une partie du rec-

entraînant parfois la vessie (cystocèle) et une partie du rectum (rectocèle). (Figure 42). Tout se passe comme si le vagin se déroulait progressivement et se retournait comme un doigt de gant.

Le prolapsus génital ne survient qu'en cas de défaillance des ligaments, des muscles et des organes du petit bassin. Une prédisposition joue parfois un rôle dès la naissance, même si le prolapsus n'apparaît que plus tard. Mais ce trouble survient habituellement pendant l'accouchement, par

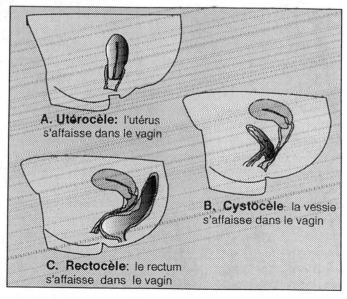

Figure 42. *Le prolapsus génital ou descente d'organe : utérocèle (A) ; cystocèle (B) et rectocèle (C)*

exemple lorsque des pressions trop importantes sont exercées sur le fond utérin par un obstétricien inexpérimenté, ou à la suite d'une traction indue exercée sur le cordon d'un placenta adhérent à la paroi de l'utérus.

Par ailleurs, un travail long et difficile, une expulsion trop rapide et brutale, l'utilisation hâtive de forceps (lorsque la tête du bébé est encore haute) ou l'apparition soudaine de déchirures importantes du périnée constituent autant de facteurs susceptibles de provoquer un prolapsus. Les autres causes caractéristiques d'un état chronique sont liées à tout facteur pouvant fatiguer les ligaments et les muscles, comme l'**obésité** locale ou généralisée, une **constipation permanente** et, surtout, l'**âge**.

À la ménopause et en l'absence de traitement hormonal, les œstrogènes viennent à manquer et les tissus s'atrophient, perdant leur tonus et leur élasticité. D'autres situations, comme la **rétroversion** de l'utérus, certaines **malformations utérines** ainsi que certaines **interventions chirurgicales**, peuvent également entraîner un prolapsus.

Les symptômes

Les symptômes observés dépendent du type de prolapsus et de son importance. Au début, le prolapsus se manifeste par une sensation de pesanteur ou de tiraillement dans le bas-ventre, particulièrement en station debout. À un stade plus avancé, cette sensation fait place à la perception d'une « boule à l'intérieur du vagin », voire à l'orifice vulvaire, qui gêne la marche.

À cet inconfort sont souvent associés des maux de dos, des difficultés d'ordre sexuel (du fait de la distension du vagin et de la présence du prolapsus) et, surtout, des **troubles urinaires** : incontinence, besoins répétés et difficultés de la miction ou de la défécation. La stagnation d'urine dans la vessie favorise la survenue d'infections bactériennes.

Le diagnostic

Un prolapsus de l'utérus est diagnostiqué par l'examen clinique, parfois lors d'un examen gynécologique de routine. Une évaluation de l'appareil urinaire peut être nécessaire si la vessie se trouve aussi prolabée.

Le traitement

Le traitement varie selon l'âge de la patiente, son état général, son désir de grossesse et son activité sexuelle. Mais la sévérité du prolapsus, l'inconfort et la gêne qu'il occasionne, ainsi que la présence d'autres affections gynécologiques (un fibrome ou une incontinence urinaire d'effort, par exemple) dicteront le choix de la thérapie.

Dans un grand nombre de cas, un traitement conservateur parvient à régler le problème. Parmi les méthodes les plus communément utilisées, la **rééducation périnéale** consiste en l'apprentissage d'une technique de contraction des muscles du bassin et des sphincters. Au début, la patiente s'entraîne en interrompant le jet urinaire plusieurs fois par miction. Ce type de contraction peut aussi être obtenu par la rétention d'un gaz abdominal. Elle peut vérifier l'efficacité des exercices accomplis en insérant un doigt dans son vagin, qui doit alors se rétrécir. Cet exercice doit être répété au moins 150 fois par jour. Il est important de contracter ces muscles à chaque effort et lors d'une toux afin d'éviter le déplacement des organes. Une autre technique courante, **l'électrostimulation** (stimulation des muscles par un courant électrique), est utilisée lorsque la patiente se montre incapable de se rééduquer elle-même.

La chirurgie aura pour objet de consolider les ligaments qui maintiennent les organes en les « croisant » un peu comme on le ferait pour des bretelles trop longues. Le choix d'une technique chirurgicale sera déterminé par l'état et l'âge de la patiente. L'intervention peut être pratiquée par voie vaginale si les conditions, c'est-à-dire le type de prolapsus, son importance et l'âge de la patiente, le permettent. Correctement réalisée par un chirurgien expérimenté, elle donne des résultats spectaculaires qui permettent à la patiente de retrouver une vie sexuelle et sociale active. Dans les cas très prononcés, une hystérectomie (ablation de l'utérus) par voie vaginale peut être conseillée.

Dans les cas des femmes qui refusent la chirurgie ou qui ne peuvent supporter une anesthésie générale, un **pessaire** (Figure 43) peut être inséré dans le vagin pour maintenir

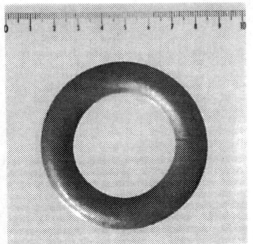

Figure 43.
Le pessaire

l'utérus en place. Pour qu'il soit efficace et bien toléré, le pessaire doit présenter une forme et une taille parfaitement adaptées à l'anatomie de la patiente. Cette intervention comporte toutefois certains inconvénients qu'il importe de connaître. Mal adapté, le pessaire peut se déplacer ou être expulsé lors d'un effort de poussée abdominale. Il peut aussi occasionner une irritation des muqueuses, déjà très amincies et fragiles, des pertes ou des odeurs, ou encore une gêne lors des rapports sexuels. Enfin, le pessaire est contraignant, imposant des soins hygiéniques quotidiens (avec lavage et remise en place). Il ne constitue donc pas une solution idéale ; toutefois, il permet à des femmes âgées dont l'état général est altéré, ou à celles qui ne sont pas en état de supporter une intervention chirurgicale, de vivre sans trop d'inconfort avec un prolapsus.

La prévention

L'adoption d'un horaire de miction strict constitue une technique préventive efficace en ce qu'elle permet de maîtriser l'activité du sphincter urinaire. Toute femme devrait par ailleurs prendre un certain nombre de précautions afin de prévenir le prolapsus. Il convient, par exemple, d'éviter le surmenage et l'exécution de tâches qui exigent de porter longtemps les bras plus haut que les épaules. Il faut dormir sur le côté plutôt que sur le dos, ne jamais prendre de bain froid et s'abstenir de consommer des aliments qui produisent de l'acidité, des ferments, des gaz, etc.

Pendant l'accouchement, on tentera d'éviter un travail prolongé, une délivrance brutale et une déchirure du périnée. La femme mettra toutes les chances de son côté en apprenant, pendant sa grossesse, à bien contracter les muscles du périnée, et, pendant l'accouchement, à se maîtriser au moment où il faut s'abstenir de pousser. De plus, l'épisiotomie effectuée judicieusement pour élargir provisoirement l'orifice vulvaire évitera les déchirures ou la distension permanente du vagin.

Après l'accouchement, en respectant un délai de six semaines, il est recommandé d'entreprendre une rééducation abdominale ; la plupart des femmes auront eu l'occasion de s'y exercer pendant les cours prénatals. Les séances de gymnastique auront d'abord pour but de tonifier les muscles du périnée, puis les abdominaux. Il faut en outre éviter le port de charges lourdes, les stations debout prolongées et les sports rudes comme l'équitation, particulièrement si vous présentez déjà une certaine faiblesse au niveau des muscles du bassin, ou s'il existe dans votre famille des cas de prolapsus ou d'incontinence urinaire. Vous renforcerez les muscles de votre bassin en contractant régulièrement les muscles pelviens.

Plusieurs médicaments, incluant les drogues et les hormones, augmentent la force du sphincter urinaire et diminuent les contractions de la vessie. Chez la femme ménopausée, les œstrogènes redonnent aux muqueuses vaginales et vésicales une partie de leur tonicité, contribuant ainsi à prévenir le prolapsus.

La dyspareunie : un sérieux problème sexuel

La dyspareunie est une douleur ressentie par la femme lors d'un rapport sexuel. Elle peut être soit superficielle et affecter les organes sexuels et leur voisinage, soit profonde et localisée dans le petit bassin. Bien que fréquente, elle reste souvent ignorée pendant des années pour être découverte à l'occasion d'un examen effectué dans le cadre d'un autre problème (maux de dos, dépression profonde, altération générale de la santé). Si l'acte sexuel demeure possible, il est douloureux et de plus en plus mal vécu. Environ 47 %

des femmes disent ressentir des douleurs lors des rapports sexuels ; ces douleurs vont de la simple sensation désagréable de sécheresse à la douleur franche qui force à éviter les relations complètes.

Les causes

Une douleur superficielle est généralement due à une affection des organes génitaux externes (inflammation chronique au niveau de la vulve, par exemple). Les maladies transmises sexuellement (herpès génital, gonorrhée, infections à chlamydia) entraîne une dyspareunie dans la région vulvaire. Les spermicides sont parfois responsables d'une sensation de brûlure. L'atrophie vaginale et l'insuffisance de lubrification vaginale, notamment après la ménopause, les cicatrices post-chirurgicales (après une hystérectomie, par exemple) et l'effet de la radiothérapie peuvent également ment entraîner une dyspareunie.

Des douleurs profondes peuvent aussi provenir d'affections pelviennes (fibrome, infections ou inflammations des trompes (salpingites) ou de l'utérus (endométrites et cervicites) (Figure 44) ou d'une maladie de l'ovaire (kyste ou tumeur) (Figure 45). Une endométriose peut provoquer un épaississement derrière l'utérus qui entraîne une douleur profonde durant les rapports sexuels. Par ailleurs, des troubles psychosexuels peuvent, eux aussi, entraîner une dyspareunie. Le vaginisme (contracture des muscles du vagin gênant la pénétration du pénis) est en général psychologique. Toutefois, dans certains cas, la douleur sert de prétexte au refus des rapports sexuels.

Le traitement

Le traitement des lésions légères est relativement simple. On soulage les douleurs de la vulve en appliquant, à l'extérieur,

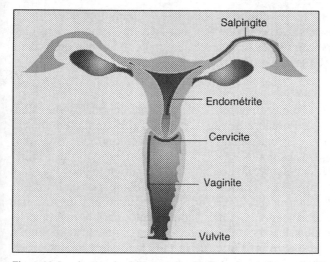

Figure 44. *Localisation des différents types d'inflammation de l'appareil génital*

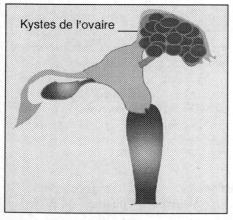

Figure 45. *Kystes de l'ovaire*

une pommade calmante, par exemple, la **lidocaïne** (Xylocaine, Xylocard) ; les bains de siège peuvent également soulager ce type de douleur. Des analgésiques (médicaments anti-douleur) peuvent être utiles. Dans le cas d'une infection on prescrira des antibiotiques, et dans le cas d'une inflammation chronique de la vulve, on pratiquera une chirurgie simple pour enlever un kyste ou un abcès. Si la douleur est due à une sécheresse vaginale, une crème à base d'œstrogènes (Prémarine, C.E.S.) sera habituellement prescrite pour application locale juste avant le rapport sexuel. Des **lubrifiants solubles** dans l'eau, comme KY ou Lubafax, et des huiles naturelles, telles que l'huile d'amandes, ont également un effet bénéfique lorsqu'appliqués localement.

L'atténuation de la douleur n'est pas toujours immédiate, sa dimension psychologique faisant parfois en sorte qu'elle se prolonge même après la disparition du problème médical ; par conséquent, le traitement est habituellement suivi d'un programme de rééducation sexuelle de courte durée dont le but est d'apprendre à la patiente à maîtriser les muscles qui entourent l'entrée du vagin et de s'assurer que les deux partenaires soient suffisamment détendus pendant une relation sexuelle.

Si la gêne douloureuse est d'origine psychologique, il est possible d'avoir recours à un conseiller spécialisé en sexothérapie. La sexothérapie est en général entreprise en association avec une thérapie conjugale. La femme est encouragée à se familiariser avec sa sexualité. Elle apprend à relaxer et à contracter ses muscles pelviens ainsi qu'à stimuler son clitoris pour obtenir un orgasme (par masturbation) comme préliminaire aux rapports sexuels.

La prévention

Il est possible, dans bon nombre de cas, de prévenir la dyspareunie. On pourra, par exemple, lors de l'examen gynécologique des deux partenaires, informer ceux-ci sur les organes reproducteurs et leurs fonctions, et sur les facteurs physiologiques et psychologiques qui interviennent lors des rapports sexuels ; quelques conseils portant sur les techniques sexuelles peuvent également s'avérer utiles. Chez la jeune fille souffrant de vaginite (spasme du vagin), le clinicien peut, en présence du partenaire, indiquer les différentes parties anatomiques et laisser la patiente s'examiner elle-même avec un miroir. Une telle approche contribue à diminuer l'anxiété des deux partenaires et à encourager la communication en matière de sexualité. Dans certains cas, la dilatation progressive du vagin avec un dilatateur en caoutchouc bien lubrifié peut prévenir et guérir la dyspareunie.

MALADIES ET DYSFONCTIONS DE L'APPAREIL REPRODUCTEUR DE L'HOMME

Les lésions du pénis

La balano-posthite, une inflammation de la muqueuse du gland et du prépuce, est généralement provoquée par une infection bactérienne, parasitaire ou mycosique. Elle est fréquente chez les patients diabétiques, plus particulièrement chez les sujets non circoncis. Une telle inflammation prédispose au rétrécissement du méat, au phimosis (étroitesse anormale de l'orifice prépucial) et au cancer. Les symptômes, caractéristiques d'une inflammation (douleur, rougeur, chaleur), s'accompagnent parfois d'une sécrétion purulente. Le traitement s'avère toujours délicat, la muqueuse étant irritée par les produits apparemment les plus anodins. La toilette à l'eau et les tamponnements au soluté de nitrate d'argent à 1/200 sont habituellement recommandés.

Le priapisme est un état pathologique caractérisé par une érection prolongée et douloureuse, née sans désir sexuel et n'aboutissant à aucune éjaculation. Cet état, qui persiste quelques jours ou plusieurs mois, ne cède qu'à l'incision des corps caverneux. Elle requiert un traitement urgent en raison des dangers qu'elle présente. Un priapisme se produit lorsque le sang qui remplit les corps caverneux cesse d'être drainé, ce qui entraîne le maintien du pénis en érection. De nombreuses causes faisant souvent intervenir des facteurs vasculaires et neurologiques ont été identifiées : une atteinte des nerfs commandant la vascularisation du pénis, une thrombose vasculaire pelvienne ou une maladie du sang (leucémie, anomalie sanguine) en sont quelques exemples. Ces deux dernières pathologies peuvent entraîner la formation de caillots de sang à l'intérieur du pénis. Dans certains cas, le priapisme est secondaire à une activité sexuelle prolongée, à un hématome ou à des affections cérébro-médullaires telles que la syphilis ou un cancer pelvien. Exceptionnellement, un blocage du drainage sanguin du pénis peut faire suite à une infection (prostatite, urétrite ou cystite), particulièrement si celle-ci est associée à la présence de calculs rénaux. Certains médicaments peuvent aussi être en cause ; c'est le cas des antihypertenseurs, des anticoagulants et des corticostéroïdes.

Le traitement prend un caractère urgent en raison du risque de lésions définitives du pénis. Il est difficile et souvent inefficace. Les causes sous-jacentes doivent être identifiées et traitées. Le priapisme d'origine nerveuse peut être soulagé par une anesthésie locale. Les œstrogènes s'avèrent inefficaces et les anticoagulants n'agissent qu'au stade initial de l'affection. La ponction et l'irrigation des corps caverneux au moyen d'une grosse aiguille (de 12 ou 16 mm) permet l'évacuation du sang ; malheureusement, les récidives demeurent la règle générale.

Dans bien des cas, l'incision totale du corps caverneux (une intervention chirurgicale d'urgence) représente l'unique solution valable. La création d'une fistule entre le gland et les corps caverneux, réalisée au moyen d'une aiguille à biopsie, est parfois couronnée de succès. **Le pronostic** fonctionnel est défavorable, à moins que le traitement ne soit rapide et efficace.

Les tuméfactions scrotales

Une tuméfaction scrotale peut être causée par un traumatisme, une inflammation de l'enveloppe du scrotum ou de son contenu, un cancer du testicule ou de ses annexes, ou encore par des troubles mécaniques impliquant le contenu scrotal ou les structures voisines.

La torsion testiculaire est une affection aiguë qui nécessite un traitement urgent. La douleur provoquée par cet état survient en général subitement, en l'absence d'événement déclencheur ; toutefois, un léger traumatisme local ou une stimulation érogène sont souvent en cause. Le patient se rappelle avoir traversé dans le passé des épisodes de douleur vive qui ont disparus spontanément. Les signes physiques associés à cette affection varient selon le temps écoulé entre l'apparition de la douleur et la consultation, et selon la sévérité de la torsion.

Au cours des premières heures, l'absence d'œdème scrotal permet la palpation des testicules ; par la suite, l'œdème et l'inflammation rendent l'examen beaucoup plus difficile. Le diagnostic se fait habituellement par palpation, laquelle permet de déterminer l'axe du testicule (horizontal plutôt que vertical) et la position du corps de l'épididyme (devant le testicule plutôt que derrière).

Une torsion testiculaire persistant au-delà de 24 heures entraîne de façon presque certaine une nécrose du testicule atteint. Par conséquent, cet état constitue une urgence chirurgicale qui demande un diagnostic et une intervention rapides.

L'orchite désigne l'inflammation d'un testicule parfois causée par le virus des oreillons. L'infection virale des testicules à l'occasion de cette maladie se produit une fois sur quatre lorsque celle-ci frappe le garçon après la puberté. Elle provoque un gonflement et des douleurs du ou des testicules touchés, et entraîne une forte fièvre ; elle comporte à long terme un risque de stérilité. D'autres infections peuvent provoquer l'orchite, mais elles sont généralement associées à une épididymite (orchiépididymite). Exceptionnellement, l'orchite se complique d'une atrophie du testicule atteint.

L'orchiépididymite est une inflammation aiguë du testicule et de l'épididyme (tube contourné véhiculant les spermatozoïdes à partir du testicule, Figure 37). Elle se caractérise par une douleur aiguë irradiant jusqu'à l'aine, une fièvre élevée et un gonflement des testicules s'accompagnant parfois d'une rougeur du scrotum. Des symptômes urinaires (brûlure à la miction, écoulement urétral) sont souvent observés. On pourra s'assurer, au toucher rectal, de l'absence d'une prostatite associée.

L'inflammation est imputable à une infection dont l'origine n'est pas toujours clairement identifiée. Elle apparaît parfois comme la complication d'une infection urinaire avec prostatite et urétrite, comme la séquelle d'une gonococcie ou la complication d'une chirurgie prostatique, ou encore comme la conséquence de l'installation d'une sonde permanente. La *chlamydia* est l'un des micro-organismes les plus souvent impliqués dans cette infection, le bacille de la tuberculose, le tréponème de la syphilis et les mycoses étant plus rares de nos jours. Il est souvent difficile d'établir un diagnostic et une intervention chirurgicale s'avère parfois nécessaire pour préciser les causes de l'infection.

Les examens paracliniques (échographie scrotale et scintigraphie testiculaire), qui viennent confirmer une vascularisation excessive de l'épididyme en son entier, sont aussi d'une grande utilité à cet égard.

Le traitement implique le repos au lit, le port d'un suspensoir, l'application de glace et l'administration d'antibiotiques. Si une infection urinaire est diagnostiquée, on poursuivra les examens afin d'en déterminer la cause. Les abcès du scrotum ayant tendance à s'ouvrir spontanément, l'incision est rarement nécessaire. Cependant, la formation de pus et le manque d'efficacité des antibiotiques imposent parfois le recours à la chirurgie, particulièrement chez les patients âgés dont l'état général est déficient. Dans tous les cas, la guérison est lente et difficile à obtenir ; par ailleurs, un gonflement résiduel peut persister durant plusieurs mois.

L'hydrocèle est une tuméfaction indolore et molle de la bourse due à la présence de liquide dans l'espace entourant le testicule. La bourse augmente de volume et le scrotum se distend, ce qui entraîne un inconfort. Cette affection fréquente est parfois secondaire à une inflammation du testicule ou de ses annexes, ou à un traumatisme du testicule. Il peut arriver qu'une tumeur soit à l'origine d'un épanchement liquidien, mais, le plus souvent, on ne peut trouver aucune cause précise. Les hydrocèles apparaissent plus fréquemment chez les hommes de plus de 50 ans.

Le traitement consiste à ponctionner et à vider le liquide accumulé. Après l'intervention, la bourse reste gonflée et met deux à trois mois à retrouver son volume et sa souplesse.

La varicocèle se traduit par une dilatation variqueuse des veines du testicule et de son enveloppe. Il s'agit là d'un phénomène assez banal puisque de 10 à 15 % des hommes en sont atteints, le plus souvent du côté gauche (pour des raisons anatomiques, le testicule gauche étant souvent plus gros et plus lourd). Elle donne la sensation désagréable d'un « paquet de gros vers de terre » plus évident en position debout qu'en position allongée. On ne lui connaît pas de véritable cause, mais un obstacle au drainage veineux d'un testicule peut en être responsable. Le patient se plaindra alors d'une lourdeur ou d'une douleur vague au niveau de l'hémiscrotum gauche.

À l'examen, on remarque souvent que le testicule se trouve en position normale, mais qu'il est de taille inférieure à l'autre testicule. Tout à fait bénigne, cette maladie reste sans conséquences et ne réclame pas de traitement particulier, hormis le port d'un suspensoir. La chirurgie, qui consiste en une ligature de la veine spermatique interne, est indiquée dans le cadre du traitement d'une stérilité ou si la varicocèle est très gênante, par exemple si elle provoque une douleur ou une sensation de plénitude scrotale.

Les problèmes de la prostate

La prostate, qui a la forme et la taille d'une châtaigne, est une glande qui sécrète la majeure partie du liquide séminal. Elle est située dans une région d'un accès difficile, entre le pubis et le rectum, sous la vessie et au-dessus du périnée (Figure 46). Le toucher rectal reste le seul moyen clinique d'explorer la prostate, qui est traversée de haut en bas par l'uretère prostatique. Le tissu prostatique est formé de fibres musculaires et de glandes qui déversent leurs sécrétions dans l'urètre. La prostate est richement vascularisée et entourée d'un plexus nerveux. Plusieurs types de dérèglements peuvent en entraver le fonctionnement : inflammation (prostatite), abcès, hyperplasie bénigne et cancer. Les cancers génito-urinaires surviennent à tout âge, et représentent environ 30 % des cancers masculins (voir la section sur les cancers au début du chapitre).

La prostatite, ou inflammation de la prostate, est généralement causée par une infection bactérienne, parfois transmise sexuellement. Cette maladie touche l'homme âgé entre 30 et 40 ans, et parfois l'homme plus âgé. Elle occasionne des douleurs à la miction ainsi que des envies fréquentes d'uriner. Dans les formes aiguës, elle peut provoquer de la fièvre, des frissons, des mictions fréquentes, douloureuses et impérieuses, des douleurs périnéales et lombaires, des degrés variables d'obstruction de la voie excrétrice (dysurie) allant jusqu'à la rétention d'urine, et une sensation de brûlure au passage de l'urine.

Cette infection s'accompagne souvent d'hématurie (sang dans les urines) et de douleurs articulaires et musculaires. On peut également observer, dans les formes chroniques de la maladie, un écoulement anormal par l'urètre et des douleurs au niveau du bas-ventre ou du rectum.

Le diagnostic est obtenu essentiellement par le toucher rectal, qui révèle une prostate douloureuse et chaude dans les cas de prostatite aiguë. Une prostatite chronique se traduira, quant à elle, par une prostate plus volumineuse ou indurée de façon diffuse ou locale.

Le traitement suppose le repos au lit, la prise d'un analgésique, celle d'un laxatif pour ramollir les selles, et l'hydratation en cas d'inflammation aiguë. On prescrit souvent le **cotrimoxazole** comme traitement initial en attendant de connaître les résultats de la culture et de l'antibiogramme. Si l'agent pathogène se montre sensible et la réponse clinique satisfaisante, on poursuit le traitement pendant une trentaine de jours pour éviter le développement d'une prostatite bactérienne chronique ou d'un abcès. Dans le cas contraire, on prescrit un antibiotique plus approprié. La guérison complète est longue et les récidives ne sont pas inhabituelles.

Les abcès de la prostate apparaissent souvent comme une complication d'une infection des voies urinaires, notamment la prostatite aiguë, l'urétrite et l'épididymite. Le patient, âgé habituellement de 40 à 60 ans, présente fréquemment des troubles de miction (rétention d'urine, difficulté de miction, etc.). La douleur périnéale, les signes d'épididymite aiguë, l'hématurie et l'écoulement urétral purulent sont plus rares. Certains patients souffrent d'accès de fièvre. Au toucher rectal, la prostate est parfois douloureuse et ramollie, mais une hypertrophie prostatique demeure souvent la seule anomalie observée ; dans certains cas, toutefois, la glande semble tout à fait normale. Ces abcès sont souvent découverts fortuitement au cours d'une opération ou d'une endoscopie. **Le traitement** consiste en un drainage par évacuation transurétrale ou incision périnéale, s'accompagnant de l'administration d'un antibiotique approprié.

L'hyperplasie bénigne ou adénome de la prostate, qui touche les hommes de plus de 50 ans, entraîne une gêne à la miction en raison de la compression de l'urètre (Figure 46). Bien que les causes de cette affection soient encore mal connues, elles peuvent être liées à un déséquilibre hormonal dû au vieillissement. Des nodules multiples se forment dans le tissu glandulaire (particulièrement autour de l'urètre) plutôt que dans le tissu musculaire, ce qui occasionne un rétrécissement du calibre de l'urètre prostatique et une difficulté de miction. L'évacuation incomplète de la vessie entraîne une stase de l'urine qui favorise les infections de la vessie et des reins et la formation de calculs.

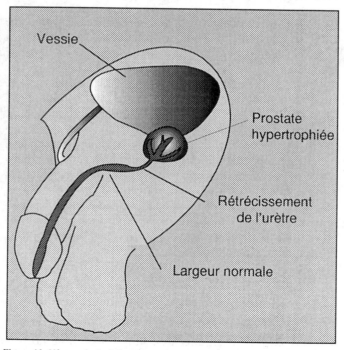

Figure 46. *L'hyperplasie de la prostate peut provoquer une incontinence urinaire*

Les symptômes sont très caractéristiques, le toucher rectal révélant une prostate dure et nodulaire. L'antigène prostatique sérique (APS) se montre élevé chez 30 à 50 % des patients souffrant d'hyperplasie ; ce taux varie en fonction de la taille de la prostate et du degré d'obstruction observé.

Le traitement dépend essentiellement des symptômes et du degré d'obstruction. Lorsque l'obstruction se complique d'une infection, le traitement a pour objet la résolution de l'infection et la stabilisation de la fonction rénale. En cas d'obstruction plus avancée, une sonde urétrale ou un cathéter doivent être mis en place. Il est important de vider lentement une vessie distendue, chroniquement obstruée. Les **alpha-bloquants** agissent sur le système nerveux sympathique et améliorent la vidange de la vessie chez certains patients. Le **finastéride (Proscar)** offre quant à lui un moyen efficace de réduire la taille de la prostate chez certains patients, permettant ainsi une meilleure vidange de la vessie.

Si les symptômes persistent ou s'aggravent, on pratique habituellement une intervention **chirurgicale** qui consiste en une résection transurétrale de la prostate. Cette technique a l'avantage d'être bien acceptée par les patients, car elle n'implique pas d'incision de la peau ; en outre, la durée d'hospitalisation est réduite et le taux de mortalité et de morbidité demeure peu élevé. Dans la période post-opératoire, la pose d'une sonde s'avère nécessaire. Le pronostic est excellent, et le patient retrouve habituellement sa capacité sexuelle antérieure.

Pour **prévenir** l'hypertrophie de la prostate, il est recommandé de surveiller son alimentation (diminuer la consommation de viande rouge et augmenter celle des produits céréaliers et des huiles de première pression à froid), et d'absorber des suppléments de zinc, de vitamine C et d'huile d'onagre, ainsi que du pollen et du ginseng pour améliorer le débit urinaire, diminuer le volume de la prostate et faire disparaître la sensation de pesanteur.

LA CONTRACEPTION

Les couples ont aujourd'hui à leur disposition un vaste éventail de moyens naturels, mécaniques et chimiques pour éviter temporairement la grossesse ou pour concevoir en toute liberté. Le choix d'une méthode de contraception tient compte de plusieurs facteurs inhérents à la technique elle-même : efficacité (Tableau 14), sécurité, acceptation, réversibilité, coût et disponibilité, et au couple qui l'utilise (âge, scolarité et degré de motivation). Voici un aperçu des avantages et des inconvénients de chaque méthode, ainsi que la réponse aux questions les plus courantes au sujet de l'utilisation des contraceptifs oraux. Ces informations devraient vous guider dans le choix d'une méthode adaptée à vos besoins et à votre mode de vie.

Les méthodes de contraception à éviter

Le retrait avant éjaculation se révèle très risqué : **son taux d'échec se situe entre 20 et 30 %.**

La douche vaginale suivant immédiatement le rapport est aussi inefficace que dangereuse puisque, au lieu d'être chassés vers l'extérieur, les spermatozoïdes sont au contraire propulsés vers le col de l'utérus par la pression de l'eau. **Le taux d'échec dépasse les 80 %.**

TABLEAU 14.

COMPARAISON DE L'EFFICACITÉ DES MOYENS
DE CONTRACEPTION

Moyen de contraception	Efficacité
Pilules combinées et séquentielles	99,9 %
Pilules progestatives pures	99,5 %
Stérilet	98 %
Condom masculin	98 %
Diaphragme + spermicides	98 %
Spermicides	77 %
Norplant	99,96 %
Aucune méthode	15 %

La méthode du thermomètre repose sur l'observation de la température matinale de la femme. Celle-ci est basse avant l'ovulation et remonte de 0,3 à 0,6 °C juste après l'ovulation, pour se maintenir jusqu'à la fin du cycle menstruel. C'est seulement à partir du troisième jour de température élevée que les rapports sexuels ne présentent plus de risques. Cette méthode demeure peu fiable, son **taux d'échec se situant autour de 15 à 40 %**.

L'hystérectomie, irréversible, ne devrait jamais être envisagée comme moyen de contraception.

Les méthodes de contraception les plus utilisées

Les méthodes les plus courantes incluent les contraceptifs oraux, les préservatifs masculins, les spermicides, le diaphragme et le stérilet (Figure 47).

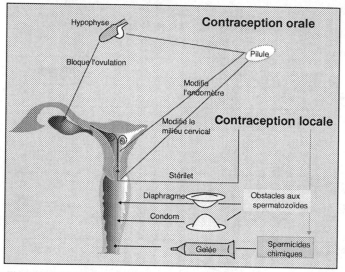

Figure 47. *Méthodes de contraception les plus courantes*

Les contraceptifs oraux représentent le plus efficace des moyens de contraception puisque leur taux d'échec varie entre 4,7 % (utilisatrices de moins de 22 ans) et moins de 0,2 % chez les femmes plus âgées. Les échecs sont le plus souvent attribuables à l'oubli ou à l'interruption de l'utilisation du moyen.

Les contraceptifs oraux exercent en fait une triple action : inhibition de l'ovulation, épaississement du mucus cervical et prévention de l'implantation de l'ovule fécondé dans l'endomètre. Il en existe deux catégories : **les pilules combinées et les pilules séquentielles**.

Avant de choisir votre formule

En 1985, Santé Canada recommandait qu'un contraceptif oral ne contenant pas plus de 35 mcg d'œstrogène et un progestatif à faible activité biologique soit la formule de choix. Selon les circonstances, il peut s'avérer nécessaire d'augmenter la teneur en œstrogène ou en progestatif. la plupart des formules appartiennent à l'une ou l'autre des catégories : celles qui ont une teneur de 35 mcg ou moins en œstrogène et celles qui ont une teneur de 35 mcg ou plus. Avant de choisir une formule, il faut en évaluer soigneusement les avantages par rapport aux risques (Tableau 15).

Il convient de souligner quelques points importants : la pilule est un médicament ; elle ne peut et ne doit être prescrite que par un médecin, et cela, à la suite d'un examen clinique et d'un bilan de santé complets. Le suivi médical, primordial, suppose un examen après les trois premiers mois de traitement (surtout pour surveiller la pression artérielle) et au moins **une fois par an par la suite**.

- Les pilules combinées contiennent une quantité fixe d'œstrogène et de progestatif (forme synthétique de la progestérone). Les formules les plus récentes sont essentiellement des versions perfectionnées des premières pilules combinées introduites dans les années soixante. Elles sont efficaces, sûres et généralement bien tolérées. Elles peuvent rendre particulièrement service aux femmes qui connaissent des menstruations douloureuses, abondantes ou anormalement longues.
- Les pilules séquentielles, la plus nouvelle forme de contraceptifs oraux, se présentent dans des distributeurs contenant des pilules divisées en trois groupes ou selon trois séquences. Chaque groupe contient une proportion différente d'œstrogène et de progestatif, le but étant de

TABLEAU 15.

PESER LES RISQUES ET LES AVANTAGES QUE REPRÉSENTENT LES CONTRACEPTIFS ORAUX

Avantages	Très fiables, commodes et discrets. Régularisent le cycle menstruel. Réduisent les douleurs menstruelles. Réduisent les risques de : tumeurs bénignes du sein, endométriose, kystes ovariens, cancer de l'ovaire et de l'endomètre.
Effets secondaires	Gain de poids, dépression. Gonflement des seins, Diminution de la libido. Maux de tête, nausées. Sécrétions vaginales plus abondantes.
Risques	Thrombose/embolie. Troubles cardiaques ou hypertension. Jaunisse, calculs biliaires, cancer du foie (rare).
Acteurs pouvant rendre l'usage impossible	Antécédent de thrombose ou de troubles sanguins. Troubles cardiaques ou hypertension, migraine. Taux élevé de lipides dans le sang, maladie du foie. Saignements vaginaux inexpliqués.
Facteurs qui augmentent les risques	Tabagisme, obésité, diabète sucré. Antécédents familiaux de maladies cardiaques ou circulatoires. Traitements médicamenteux en cours.

réduire la quantité totale de progestatif absorbée pendant la durée du cycle. Prises de la même manière que les pilules combinées, les pilules séquentielles assurent une contraception efficace. Elles sont particulièrement utiles aux femmes qui tolèrent mal les pilules combinées.

L'implant contraceptif. Destiné aux femmes qui désirent une contraception de longue durée (l'effet dure cinq ans), l'implant contraceptif constitue une nouvelle révolution après la pilule contraceptive. Le Norplant est composé de six petites capsules flexibles dont la taille ne dépasse pas celle d'une allumette. Chaque capsule contient 36 mg de lévonorgestrel (progestatif synthétique), une dose nettement inférieure (50 %) que dans les contraceptifs oraux conventionnels. **Le taux d'échec de cette méthode est inférieur à 0.05 %.** Ce taux varie selon le poids : la contraception devient en effet moins efficace chez les femmes de plus de 70 kg.

L'avantage majeur du Norplant est qu'il ne contient pas d'œstrogènes, ce qui en fait un choix tout indiqué pour les femmes qui ne peuvent pas prendre de contraceptifs oraux. Les effets secondaires les plus importants se résument à des hémorragies irrégulières et une aménorrhée au cours des six ou neuf premiers mois d'utilisation (chez environ 17 % des femmes). On note aussi des migraines, des nausées, de l'acné, des gains de poids importants, des hyperpigmentations locales, surtout au niveau de l'implant, des kystes des ovaires et des douleurs aux seins. Ces différents symptômes justifient le retrait des capsules avant la fin du traitement dans environ 20 % des cas.

Cette méthode de contraception est contre-indiquée chez les femmes qui souffrent de phlébites, de troubles thromboemboliques ou d'une maladie hépatique (comme l'adénome hépatique). Ses effets à long terme demeurent encore mal connus.

Le progestatif synthétique seul, pris tous les jours, n'est que rarement prescrit au Canada et au Québec à cause de son taux d'échec relativement élevé et d'une forte incidence d'effets indésirables. Il n'est recommandé qu'en cas de contre-indication à l'utilisation des œstrogènes.

Le stérilet est un dispositif intra-utérin qui représente, à bien des égards, une méthode contraceptive de choix pour la femme de 40 ans, qui est mère de famille et qui vit une relation monogame stable (Figure 48). La présence du stérilet dans la cavité utérine provoque une réaction tissulaire qui se traduit par une accélération de la contraction des trompes et la production de substances toxiques pour les spermatozoïdes. Le cheminement normal de l'ovule se trouve donc perturbé : s'introduisant trop tôt et trop jeune dans l'utérus, il ne peut être fécondé, et, dans le cas contraire, la présence du stérilet empêche sa nidation dans l'utérus. La mise en place du stérilet, dont l'efficacité avoisine les 99 %, est **obligatoirement effectuée par un**

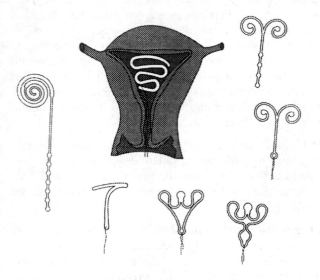

Figure 48. *Les différentes formes de stérilets*

gynécologue qui s'est assuré, au préalable, de l'absence de contre-indication. Le dépistage systématique de la gonococcie, de la chlamydiase et de la vaginose bactérienne dans les mois qui précèdent la pose du stérilet est obligatoire.

L'insertion pendant les règles s'avère habituellement moins douloureuse qu'à n'importe quel autre moment du cycle. Le retrait du stérilet est facile, rapide, indolore, n'affectant d'aucune manière l'incidence de la grossesse. La seule règle à respecter tient dans l'examen préventif semestriel, car le stérilet peut être expulsé spontanément, notamment pendant les menstruations (environ 10 % des cas au cours de la première année), surtout chez les jeunes femmes et les nullipares.

Les hémorragies et les douleurs, principaux effets secondaires, expliquent plus de 50 % des abandons ; elles indisposent près de 15 % des femmes pendant la première année et 7 % des utilisatrices pendant la deuxième.

Le stérilet est souvent associé à une augmentation du risque d'infection pelvienne dans les trois semaines qui suivent la pose chez les femmes à risque de développer une telle infection (voir aussi la section sur les MTS, Chapitre 2 du tome 2). Pour toutes ces raisons, il existe des contre-indications formelles à l'utilisation du stérilet : premièrement, des antécédents de HIV ou de MTS ; deuxièmement, une histoire de salpingite, cervicite, fibrome, antécédent de grossesse extra-utérine, polype intra-utérin ; et troisièmement, la présence ou des antécédents de cancer de l'endomètre ou de malformations congénitales des vaisseaux sanguins.

Il faut ajouter à cela un certain nombre de contre-indications temporaires : règles abondantes, nullipares âgées de moins de 25 ans, femmes ayant plusieurs partenaires sexuels, relation de couple récente ou non monogame, présence de cicatrice utérine faisant suite à une césarienne. **Cette méthode est absolument contre-indiquée pour les adolescentes**, car elle augmente de deux à quatre fois le risque d'infections pelviennes et de saignements intermenstruels, et entraîne une fatigue chronique et une anémie.

Le préservatif en latex (condom). C'est une gaine de caoutchouc ou de plastique souple, d'environ 18 cm de longueur, parfois lubrifiée pour faciliter sa mise en place. Le condom est éventuellement pourvu à son extrémité d'un réservoir pour recueillir le sperme. Il en existe de nombreuses formes, de textures et de couleurs différentes, disponibles en pharmacie et dans les grandes surfaces. Ils doivent être enduits de spermicide avant l'utilisation. Le condom demeure la troisième méthode contraceptive la plus fréquemment employée. Utilisé correctement, il constitue en outre un excellent moyen de prévention contre les MTS. Si les accidents sont fréquents (éclatement ou déchirure pendant l'acte sexuel), la qualité du produit, une pose convenable et l'emploi d'un lubrifiant soluble à l'eau associé au retrait avant la détumescence du pénis contribuent à réduire sensiblement le taux d'échec. Le condom présente une parfaite innocuité, son utilisation se révèle facile, sécurisante et fiable. Il constitue le meilleur moyen de contraception pour les rapports épisodiques, espacés ou impromptus.

Les spermicides. Il existe un grand choix de mousses, crèmes, gelées, ovules, tampons ou aérosols moussants que l'on insère dans le vagin avant les rapports sexuels et, si ceux-ci se prolongent ou se répètent, il faut renouveler leur application. Les spermicides sont des biodétergents puissants qui immobilisent ou tuent les spermatozoïdes tout en formant un film protecteur à la surface du col utérin, empêchant ainsi l'ascension des spermatozoïdes vers les trompes. Certains de ces spermicides sont à utiliser en même temps que les préservatifs, les diaphragmes. D'autres sont employés seuls. Par ailleurs, certains contiennent des substances antibactériennes qui protègent les utilisatrices contre certaines MTS, tout particulièrement la gonococcie et les infections à *Chlamydia*. Ces produits ne sont pas aussi efficaces que la pilule, et leur action ne s'exerce que de deux à quatre heures.

Attention ! Si vous utilisez ce moyen de contraception, il faut consulter un médecin au premier signe d'irritation ou de démangeaisons vaginales, car ces signes indiquent souvent la présence d'un ulcère. Dans de rares cas, une allergie aux spermicides peut induire un syndrome de choc toxique.

Le diaphragme. Dôme hémisphérique de fin caoutchouc dont le bord est doublé d'un anneau de métal souple, le diaphragme s'adapte en oblique contre la paroi antérieur du vagin, le sommet de l'anneau s'accrochant derrière le col utérin. Il agit comme une barrière contre le sperme mais **ne protège pas contre les MTS**. Les diaphragmes sont disponibles en plusieurs tailles et ils doivent être bien adaptés à l'anatomie de chaque utilisatrice. Une ou deux consultations gynécologiques permettront au médecin de déterminer la taille du diaphragme, et à l'utilisatrice d'apprendre à s'en servir. Le diaphragme doit être associé à une crème ou à une gelée contraceptive qui en augmentera l'efficacité. Il doit être installé plus de deux heures avant le rapport, et laissé en place huit heures après les rapports sexuels. Pour éviter les risques d'infection, un diaphragme ne doit jamais être porté plus de 24 heures.

Un diaphragme doit être lavé à l'eau et au savon, séché, talqué et replacé dans sa petite boîte. Il faut périodiquement vérifier son intégrité en l'inspectant avec une lampe puissante, voire une loupe. Bien entretenu, un diaphragme peut être employé pendant environ un an.

La stérilisation est une méthode contraceptive très populaire au Québec, tant chez les femmes que chez les hommes (Figure 49). Les regrets sont malheureusement fréquents puisque cette méthode demeure pratiquement irréversible. Chez l'homme, cette intervention prend le nom de **vasectomie**. Ce geste médical sans gravité consiste à sectionner les deux canaux déférents (conduits amenant les spermatozoï-

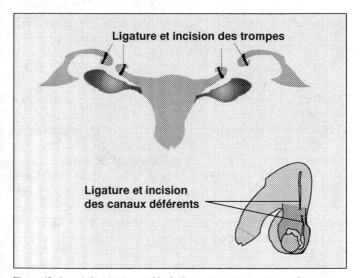

Figure 49. *La stérilisation, une méthode de contraception pas comme les autres*

des du testicule vers le pénis). D'une durée d'une vingtaine de minutes, la vasectomie peut être pratiquée sous anesthésie locale lors d'une consultation externe. Des analyses de sperme sont ultérieurement effectuées, et l'homme n'est considéré comme stérile qu'après la production de **deux éjaculations sans spermatozoïdes**. Cette intervention ne modifie que très peu le volume du sperme émis lors de l'éjaculation et n'a aucun effet sur la qualité de l'orgasme. Méthode de régulation des naissance sûre à 100 %, les complications et les risques de la vasectomie s'avèrent beaucoup moins importants que ceux de la stérilisation féminine.

Chez la femme, **la ligature des trompes** est une méthode de stérilisation couramment employée dans le monde ; près de 10 % des femmes âgées de plus de 40 ans, et 25 % des femmes ayant eu cinq enfants ou davantage se font stériliser. La stérilisation par laparoscopie comprend l'insertion d'un endoscope (tube d'examen) et un trocart (tube métallique pointue coulissant dans une canule) dans l'abdomen par deux incisions séparées. Les deux trompes de Fallope (Figure 49) sont sectionnées, suturées ou bouchées pour empêcher les spermatozoïdes de féconder les ovules. Le chirurgien peut aussi opérer directement en pratiquant une petite cicatrice juste au-dessous du nombril. L'ablation de l'utérus, des trompes de Fallope ou des ovaires, faite en vue de traiter certaines affections, a aussi pour résultat la stérilisation. Ces opérations, réalisées par une ouverture abdominale plus large, sont considérées aujourd'hui comme trop importantes pour être effectuées dans le seul but de la stérilisation. Le taux d'échec de la stérilisation est très faible. Si une grossesse survient après une stérilisation, le risque de grossesse extra-utérine est 10 fois plus élevé que normalement.

Un certain nombre de facteurs significatifs doivent être examinés avant une stérilisation : la place de la maternité dans la vie du couple, les relations conjugales, la compréhension de l'information, la qualité de la décision et la capacité de l'assumer. Il est du devoir du clinicien de donner au couple toute l'information nécessaire sur les autres méthodes contraceptives avant de commettre cet acte généralement considéré définitif.

Les méthodes de contraception indiquées pour les adolescentes

De tous les groupes d'âge, ce sont les adolescentes qui ont le moins recours à la contraception. De plus, comme l'a révélé une étude, le comportement des jeunes à cet égard est avant tout caractérisé par son manque de constance. Toute adolescente devrait comprendre que l'abstinence constitue la seule méthode de contraception qui soit parfaitement efficace. Il convient toutefois de proposer d'autres options contraceptives aux adolescentes pour qui cette solution paraît inacceptable :

• Les contraceptifs oraux en association avec le condom. Les contraceptifs oraux sont une méthode de prévention de la grossesse qui est à la fois réversible et très efficace. Il faut toutefois insister sur le fait que les contraceptifs oraux utilisés seuls ne confèrent aucune protection contre les MTS, en particulier l'infection VIH et le sida. La majorité des études épidémiologiques ont révélé que l'utilisation des contraceptifs oraux pouvait entraîner une augmentation des risques de thrombose veineuse et d'embolie, mais il convient de noter que ces risques sont très faibles chez les adolescentes. Par ailleurs, les contraceptifs oraux peuvent améliorer la qualité de vie des utilisatrices en régularisant les menstruations et en conférant une protection contre un certain nombre de troubles qui affligent couramment les adolescentes (par exemple, la dysménorrhée primaire, les mastopathies bénignes, les kystes de l'ovaire et l'anémie).

- Le stérilet est à déconseiller car le risque d'infection pelvienne est plus grand.

- Les spermicides confèrent une certaine protection contre les MTS et s'obtient sans prescription Par ailleurs, ils entravent à la spontanéité ; le système est contraignant car il faut parfois attendre que le produit se soit complètement dissout. Ce système est souvent moins efficace s'il est utilisé seul.

- L'effet des nouveaux contraceptifs à action prolongée tels que l'implant de progestatifs (Norplant) sur la réduction des taux de grossesse chez les adolescentes demeure à évaluer, mais on peut déjà présumer qu'il sera fonction du coût et de l'accessibilité de la méthode ainsi que de l'accueil que lui réserveront les adolescentes. Par ailleurs, l'observance étant assurée, l'efficacité est très élevé.

Les méthodes de contraception adaptées à des situations particulières

La contraception du lendemain. La prévention d'une grossesse après que les rapports sexuels ont eu lieu est normalement réservée aux cas d'urgence, par exemple, le viol d'une femme qui ne suit aucune méthode contraceptive ou l'éclatement d'un condom pendant l'acte. Ce type de contraception doit être effectuée très vite après le rapport non protégé, surtout en période d'ovulation. Il en existe deux formes, mais aucune n'est efficace à 100 % ; la femme doit donc subir un test de grossesse un mois après le traitement, si les règles ne sont pas survenues, pour s'assurer qu'elle n'est pas enceinte.

- **le stérilet au cuivre :** Inséré dans un délai de six jours, le stérilet s'est révélé efficace. Cependant, cette méthode ne convient pas toujours aux adolescentes et les femmes qui n'ont jamais été enceintes. Par ailleurs, ce dispositif peut augmenter le risque de salpingite.

- **la protection hormonale :** Elle doit être entreprise dans les 24 heures suivant le rapport sexuel dangereux et se présente sous plusieurs formes. Aussi appelée, **la « pilule du lendemain »,** cette pilule contient une double dose (combinaison d'éthinyl-oestradiol et de norgestrel) qui retarde l'ovulation et agit sur la paroi de l'utérus pour empêcher l'ovule de s'y fixer. Cependant, elle peut entraîner des nausées et vomissements. **La mifépristone (RU486)**, un bloqueur des récepteurs de la progestérone, associée à une prostaglandine est aussi très efficace dans l'interruption d'une grossesse avant la septième semaine. Actuellement, ce médicament n'est commercialisé qu'en Europe.

La contraception après une grossesse. L'ovulation survient environ 25 jours après l'accouchement ; l'allaitement retarde ou diminue la fécondité, mais il ne constitue pas un moyen de contraception. Les contraceptifs oraux combinés, le stérilet et le diaphragme ne sont pas recommandés. **Les progestatifs seuls** sont plus appropriés, et **les spermicides** sont particulièrement indiqués pendant cette période. On les prescrit après le 20e jour suivant l'accouchement, une fois les saignements arrêtés. Ils sont efficaces et sans danger. De plus, leur effet antiseptique et lubrifiant se révèle particulièrement bénéfique en cas d'épisiotomie ou de déchirure. Les spermicides constituent également une méthode idéale pendant l'allaitement. Si les **préservatifs** représentent une solution temporaire pratique, ils provoquent toutefois, dans certains cas, des irritations désagréables de la muqueuse vaginale, encore très sensible.

La contraception de la femme atteinte de cancer. Les traitements de chimiothérapie et de radiothérapie pelviennes modifient souvent le cycle menstruel. Ces traitements, qui occasionnent un déséquilibre hormonal, influent parfois sur le fonctionnement des ovaires (cycles irréguliers, arrêt complet des menstruations, etc.). Toutefois, une éventuelle grossesse demeure possible en dépit de l'interruption du cycle menstruel. Puisque la grossesse n'est pas recommandée en présence de traitements (certaines drogues antinéoplasiques et la radiothérapie au niveau de l'abdomen peuvent en effet causer des malformations congénitales sévères), il est conseillé d'attendre au moins deux ans après la fin des traitements avant d'envisager une grossesse.

Le moyen de contraception le plus judicieux demeure le condom qui, bien lubrifié, facilite la pénétration vaginale ; en effet, dans la plupart des cas, les traitements diminuent la lubrification vaginale. Le stérilet et le diaphragme sont indiqués lorsque le site du cancer est éloigné de la région génitale (col, utérus ou vagin). Les contraceptifs oraux sont interdits dans les cas de cancers hormonodépendants.

Les méthodes de contraception à l'étude

Plusieurs méthodes contraceptives font actuellement l'objet de recherches, dont un système d'implant (contraceptif masculin), des anneaux vaginaux libérant du levonorgestrel ainsi que des contraceptifs hormonaux injectables. On s'emploie également à mettre au point des « vaccins » contraceptifs, dont un vaccin à base d'anticorps dirigés contre la gonadotrophine chorionique humaine (vaccin anti-HCG) qui s'attaqueraient à l'embryon et l'élimineraient. Ce sont les travaux portant sur ce dernier vaccin qui sont les plus avancés, et l'on croit que ce vaccin sera disponible dans une dizaine d'années environ.

Questions les plus courantes au sujet des contraceptifs oraux

Les avantages et les inconvénients des contraceptifs oraux varient bien sûr en fonction de la situation et de l'état de chaque patiente. Toutefois, plusieurs questions reviennent fréquemment, et nous répondrons ici aux plus importantes d'entre elles.

Que faire en cas d'oubli d'une ou de plusieurs pilules ?

Un oubli est considéré comme une absence de prise au bout de 24 heures. Un retard de 12 heures ou moins dans l'absorption ne pose donc aucun problème. Il en est de même lorsque l'oubli survient au cours de la deuxième semaine d'utilisation du contraceptif. Il suffit alors de prendre une double dose le jour suivant (un comprimé matin et soir, ou deux comprimés le soir si c'est le moment habituel de la prise) et de terminer normalement la boîte. Il n'est pas nécessaire de recourir à un autre moyen de contraception. Si, par contre, le retard touche le 1er ou le 21e comprimé, un problème théorique se pose alors puisque la période d'arrêt passe à huit jours. Dans ces deux cas, les experts recommandent l'utilisation d'un autre moyen contraceptif local (condom) pendant le reste du cycle. En cas d'oubli de deux pilules, il est conseillé de prendre deux comprimés par jour pendant deux jours, mais de faire appel à une méthode locale de contraception pendant le reste du cycle.

Que faire si l'on prend par inadvertance deux comprimés à la fois ?

Rassurez-vous, il ne vous arrivera rien. Simplement, votre boîte se terminera un jour plus tôt et vous devrez avancer d'un jour la prise du premier comprimé de la boîte suivante.

Les arrêts intermittents sont-ils à conseiller ?

Aucun avantage n'a pu être mis en évidence jusqu'à présent en ce qui a trait à l'interruption momentanée du traitement. Par ailleurs, un arrêt d'un ou deux mois exige de la part de l'organisme un effort d'adaptation qu'il lui faudra répéter un mois plus tard en sens inverse, ce qui risque de provoquer un retard dans les menstruations. Mais surtout, l'arrêt intermittent expose la femme au risque d'une grossesse non désirée. Une femme en bonne santé qui ne fume pas peut prendre sans arrêter des contraceptifs oraux à faible dosage jusqu'à la ménopause.

Combien de temps faut-il arrêter de prendre la pilule avant une grossesse ?

On conseille d'attendre deux ou trois mois, le temps de laisser « repousser » la muqueuse de l'utérus. Mais si une grossesse survient avant ce délai, le fœtus ne court aucun danger. Utilisez une méthode locale, préservatif ou diaphragme, pour donner le temps aux mécanismes naturels de sécrétion hormonale de se rétablir. Notez qu'un couple sur huit met environ un an à concevoir.

Quels sont les autres effets bénéfiques des contraceptifs ?

Les contraceptifs oraux ont plusieurs effets bénéfiques sur la santé, les plus importants étant l'amélioration des troubles menstruels (irrégularités, douleurs cycliques, SPM), et la diminution de l'acné, de l'anémie et des lésions bénignes du sein. La baisse de l'incidence des grossesses ectopiques et des salpingites associée à leur utilisation réduit d'autant le nombre de cas de stérilité. Le risque d'infection à *chlamydia* augmente toutefois avec la prise de la pilule contraceptive. **Attention !** En cas de troubles menstruels, on ne prescrit des contraceptifs oraux que lorsque la possibilité de troubles gynécologiques sous-jacents, comme une infection pelvienne ou un fibrome, a été écartée.

Les contraceptifs oraux augmentent-ils le risque de cancer ?

Le risque de **cancer du sein** n'est accru ni chez les utilisatrices de contraceptifs oraux en général[15], ni parmi le sous-groupe des femmes à haut risque. Mieux suivies, ces femmes semblent, au contraire, courir moins de risques importants. Quant aux tumeurs bénignes du sein, comme les kystes ou les fibromes, il semble que la pilule combinée et les progestatifs produisent un effet protecteur. Toutefois, plusieurs études démontrent que l'incidence du **cancer du col de l'utérus** est accrue chez les utilisatrices de contraceptifs oraux, notamment chez celles qui les ont utilisés pendant plus de cinq ans. Même si aucune relation causale n'a pu être formellement établie, toutes ces femmes doivent obligatoirement subir des examens cytologiques au moins une fois par année. Par ailleurs, un grand nombre d'études révèlent que les contraceptifs oraux réduisent de près de 50 % le risque de **cancer de l'endomètre et de l'ovaire**, et que cette réduction du risque persiste même après l'arrêt du traitement.

Quels en sont les inconvénients ?

Les effets secondaires possibles des contraceptifs oraux sont nombreux, et il existe plusieurs contre-indications à leur utilisation. Ces effets dépendent des réactions de chaque femme, variant ainsi d'une utilisatrice à l'autre.

- **Le gain de poids et les nausées**, habituellement observés en début de traitement, sont dus à l'intolérance hépatique ou biliaire ; ils disparaissent spontanément après les trois premiers cycles. Cependant, un gain de poids rapide excédant trois kilos peut être le signe précoce de troubles métaboliques. Il faut alors consulter sans tarder.

- Les **saignements** surviennent souvent avant l'ajustement de la dose d'œstrogènes, justifiant une augmentation de celle-ci.

- L'incidence des **maladies vasculaires (thrombus, embolies, phlébites)**. Chez les femmes de plus de 35 ans qui prennent des contraceptifs oraux contenant 50 µg ou plus, le risque de développer des maladies vasculaires est estimé à trois ou quatre fois supérieur au risque que courent les non-utilisatrices. Ce risque accru est dû, en majeure partie, à l'influence des contraceptifs oraux sur la coagulation. En effet, les œstrogènes réduisent l'activité fibrinolytique et favorisent la coagulation sanguine lors de leur premier passage dans le foie. Par ailleurs, la fraction progestative du contraceptif augmenterait le cholestérol total, les triglycérides et les lipoprotéines de faible densité. En tenant compte de ces observations, une histoire familiale immédiate de thrombophlébite pendant la grossesse ou pendant la prise de contraceptifs oraux, de maladies cardio-vasculaires ou de diabète avant 50 ans est considérée comme une contre-indication relative.

La pilule peut-elle protéger contre les MTS et le sida ?

La pilule ne constitue en aucun cas une barrière contre les MTS, pas plus qu'elle n'apporte de protection contre le virus du sida.

Certains médicaments peuvent-ils interférer avec l'efficacité des contraceptifs oraux ?

Plusieurs médicaments diminuent l'efficacité des contraceptifs oraux, notamment les antibiotiques (Rifampine, Néomycine, etc.), les somnifères (barbituriques, benzodiazépines), les anticonvulsivants (phénobarbital, primidone), les antihistaminiques, les antiacides (hydroxyde de magnésium, bicarbonate de sodium, etc.) et les analgésiques narcotiques et nonnarcotiques. Il est conseillé aux personnes qui prennent l'un ou l'autre de ces médicaments d'utiliser un contraceptif local (condom, diaphragme) ou de pratiquer l'abstinence pour toute la durée du traitement et au cours des deux semaines qui suivent son interruption.

LA STÉRILITÉ CONJUGALE

On parle de stérilité conjugale lorsqu'un couple se révèle incapable de concevoir après une année de rapports sexuels sans moyen contraceptif ; les chances de grossesse étant environ de une sur quatre à chaque cycle. En l'absence de contraception, une grossesse est obtenue par 60 % des couples en six mois, par 80 % des couple en un an et reste possible au cours des années suivantes pour 10 % à 15 % des couples. La stérilité conjugale frappe environ un couple sur cinq en Amérique du Nord. Les causes, multiples, peuvent être rattachées au sperme (40 %), aux dysfonctionnements ovulatoires (20 %), à des anomalies de la fonction tubulaire

---

En résumé, pour minimiser les risques associés aux contraceptifs oraux

- Cesser de fumer.
- Conserver un poids-santé.
- Subir des examens réguliers de la pression artérielle et des taux sanguins de lipides.
- Subir régulièrement des frottis vaginaux (test Pap).
- Signaler à son médecin que l'on prend des contraceptifs oraux avant de prendre d'autres médicaments sur ordonnance.
- Cesser de prendre des contraceptifs contenant de l'oestrogène quatre semaines avant toute intervention chirurgicale majeure et recourir à un autre moyen de contraception.

(30 %) ou à des facteurs cervicaux (5 %). Dans environ 10 % des cas, il n'est pas possible d'identifier la cause.

La stérilité masculine

La principale cause de stérilité masculine réside dans l'incapacité de l'individu de produire des spermatozoïdes en bonne santé. L'absence de spermatozoïdes dans le sperme (azoospermie), ou encore une anomalie quantitative (moins de 20 millions/ml de sperme) ou qualitative des spermatozoïdes (Figure 50) peuvent être à l'origine d'une stérilité. Dans un certain nombre de cas, la durée de vie après l'éjaculation est trop courte pour leur permettre d'atteindre l'ovule. La dilatation variqueuse des veines du cordon spermatique, la **varicocèle** demeure l'anomalie anatomique la plus fréquente chez les hommes stériles (25 % des cas contre 10 % dans la population normale). En théorie, une varicocèle entraîne un drainage insuffisant du sang testiculaire, ce qui provoque une stase excessive et une élévation de la température intrascrotale.

L'obstruction des canaux déférents (Figure 37) est souvent causé par une **MTS mal soignée** (gonococcie, par exemple). Une anomalie de développement des testicules provoquée par une maladie endocrinienne (**hypogonadisme**), ou encore des lésions testiculaires consécutives à une **orchite** (oreillons après la puberté) entraînent dans certains cas la stérilité. Certaines **substances toxiques** (tabac, alcool, drogues illicites, pollution environnementale ou industrielle) et plusieurs médicaments (stéroïdes anabolisants, diéthylstilbestrol) font baisser la quantité de spermatozoïdes.

Le diagnostic se fonde essentiellement sur l'examen clinique pour faire le point sur l'état général, et éliminer tout diagnostic de maladie physique non traitée capable d'entraîner une stérilité. L'analyse du sperme (aussi appelé spermogramme) demeure le principal test de dépistage de la stérilité masculine. Au moins deux ou trois échantillons doivent être analysés, après une période de deux ou trois jours d'abstinence sexuelle. Le nombre (plus de 10 milliards/l), la morphologie (Figure 50) et la mobilité des spermatozoïdes (plus de 50 % sont mobiles), de même que le volume (1 à 7 ml) et le pH du sperme sont ainsi considérés.

L'examen clinique visera essentiellement à détecter d'éventuelles anomalies anatomiques, par exemple une diminution du volume testiculaire (de 20 à 25 ml en temps normal) ou la présence d'une prostatite ou d'une varicocèle.

Il existe plusieurs **traitements** possibles qui varient selon le cas. Si la qualité du sperme est normale mais que le nombre est faible, on peut prescrire un médicament qui agit sur

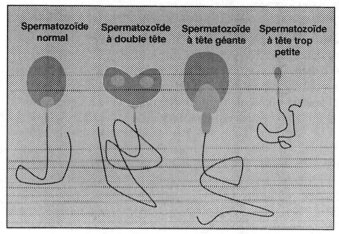

Figure 50. *Les différentes formes de spermatozoïdes*

l'hypophyse, comme le clomifène. Il peut être nécessaire de poursuivre le traitement pendant des mois avant d'observer une augmentation de la production de spermatozoïdes. En cas de varicocèle, la ligature de la veine spermatique entraîne un taux de grossesse de 30 % à 50 %. Un couple confronté à une azoospermie doit toutefois se résigner à ne pas avoir d'enfants, à moins d'envisager l'adoption ou l'insémination artificielle avec donneur. Par ailleurs, si aucune cause n'est découverte, le clinicien s'emploie a améliorer l'état général de santé et le style de vie. Il peut conseiller un changement de régime alimentaire (par exemple une réduction de la consommation d'alcool), du repos, des exercice physique, des cures de relaxation et de détente, etc.

La stérilité féminine

La cause la plus fréquente de stérilité chez la femme est **l'absence d'ovulation**, qui survient souvent sans raison apparente. En effet, la fertilité diminue avec l'âge : à 20 ans, seulement 3 % des femmes sont stériles ; à 25 ans, elles sont 6 % ; à 30 ans, 10% ; à 35 ans, 16 % ; à 40 ans, 30 %. Cela est dû non seulement à l'âge mais aussi à l'augmentation du risque de **maladies infectieuses**, sources importantes de stérilité féminine. Par ailleurs, la stérilité peut découler d'un déséquilibre hormonal, d'un stress psychologique ou d'une affection de l'ovaire (tumeur ou kyste). L'obstruction des trompes de Fallope, souvent due à une infection chronique (MTS, péritonite faisant suite à la perforation de l'appendice, grossesse extra-utérine), empêche les spermatozoïdes d'atteindre l'ovule. Par ailleurs, certaines malformations congénitales (absence d'une ou des deux trompes de Fallope) et **affections utérines** (fibromes (Figure 51), endométriose) peuvent être en cause. Une stérilité est également observée lorsque la **glaire cervicale crée un milieu défavorable** aux spermatozoïdes en produisant des anticorps qui les détruisent ou les immobilisent.

Le diagnostic

Il n'est pas facile d'établir la cause d'une stérilité féminine puisque les raisons sont des plus diverses, exigeant pour chaque cas une exploration clinique et paraclinique complète des voies génitales et des glandes endocrines. La **surveillance de l'ovulation** est assurée grâce à plusieurs techniques possibles dont la prise quotidienne de la température basale corporelle et l'échographie pelvienne, qui sert à déterminer le diamètre du follicule ovarien.

Il est parfois utile, pour établir un diagnostic, de connaître le taux urinaire de l'hormone lutéinisante et le taux de progestérone dans le sang. Pour s'assurer du fonctionnement normal des trompes de Fallope, une radiographie de l'utérus et des trompes devra être pratiquée deux à cinq jours après l'arrêt du flux menstruel. Cette technique permet de mettre en évidence des anomalies intra-utérines, des défauts dans le processus de remplissage utérin et des adhérences pelviennes éventuelles. Le **test postcoïtal** fournit, quant à lui, une mesure de la réceptivité de la glaire cervicale et de la capacité des spermatozoïdes à survivre et à accéder au système reproducteur supérieur. On effectue le prélèvement du mucus cervical de deux à huit heures après un rapport sexuel. Un test normal montre un mucus clair pouvant s'éti-

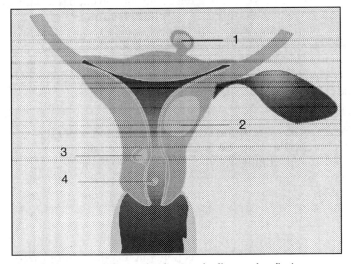

Figure 51. *Les quatre différentes localisations des fibromes dans l'utérus*

rer sur 8 à 10 cm et contenant plus de cinq spermatozoïdes mobiles par champ microscopique à fort grossissement. L'agglutination des spermatozoïdes, la viscosité accrue du mucus cervical ou l'absence de spermatozoïdes indiquent le plus souvent la présence d'anticorps antispermatozoïdes.

Le traitement

Le traitement de la stérilité féminine, qui dépend essentiellement du diagnostic clinique, doit être individualisé. L'absence d'ovulation nécessite habituellement une stimulation ovarienne. Le **clomifène** (Clomid, Sérophéne) stimule la production d'hormones hypophysaires et, par le fait même, l'ovulation. Ce médicament reste le premier choix en matière de traitement initial. On peut également prescrire aux femmes qui n'ovulent ou ne conçoivent pas durant le traitement au clomifène, des **gonadotrophines** qui agissent sur l'ovaire pour amorcer le développement initial d'un ovule et stimuler la maturation des cellules entourant l'ovule (le follicule). Il faut toutefois mentionner le coût élevé et les légers effets secondaires indésirables (bouffées de chaleur, nausées, maux de tête, fatigue, sautes d'humeur, etc.) qui sont associés à ces médicaments.

Pour traiter l'aménorrhée hypothalamique, on utilise depuis peu **l'acétate de gonadoréline**, une gonadolibérine synthétique, comme agent stimulateur de l'ovulation. Les doses administrées étant physiologiques, c'est-à-dire semblables à celles produites normalement, le risque d'hyperstimulation ovarienne reste faible et la surveillance intensive, superflue. La **microchirurgie** permet de restaurer les trompes de Fallope lorsque les lésions ne sont pas trop sévères. Si la chirurgie échoue, la fécondation *in vitro* devient le seul moyen d'obtenir une grossesse.

L'insémination artificielle

L'insémination artificielle a pour but d'introduire le sperme dans l'endocol (canal du col de l'utérus) au moyen d'une petite seringue, sans rapports sexuels. Deux ou trois inséminations sont pratiquées pendant les deux à quatre jours les plus favorables à la conception durant le cycle mensuel de la femme. En cas d'échec, elles sont répétées à plusieurs reprises. Il existe deux types principaux d'insémination artificielle : celle qui est pratiquée avec le sperme du conjoint et celle qui utilise le sperme d'un donneur. La première est employée chez les couples qui ne peuvent avoir des rapports sexuels complets, à cause de problèmes psychologiques (impuissance), de blessures ou de déformations. Elle est parfois utilisée lorsque le sperme ne contient pas assez de spermatozoïdes. En cas d'insémination utilisant du sperme de donneur, ce dernier reste toujours anonyme. Le sperme est fourni aux couples dont l'homme est stérile, atteint de maladie génétique ou susceptible d'être porteur d'une maladie héréditaire.

Cette technique est pratiquée dans des centres spécialisés agréés, qui possèdent des banques de sperme frais ; le sperme des donneurs est, quant à lui, congelé dans l'azote liquide et stocké. Avant l'utilisation, il est examiné minutieusement pour recherche de microorganismes infectieux (sida, hépatite B) ou toute autre anomalie des spermatozoïdes. Par ailleurs, tous les spermes conservés sont maintenant mis en réserve tant que les donneurs n'ont pas subi une recherche des anticorps contre le sida et l'hépatite B et que les résultats des examens ne sont pas montrés négatifs deux fois de suite à trois mois d'intervalle.

Les chances d'obtenir une grossesse dans les six mois sont de 60 % à 70 % avec du sperme frais, et de 55 % avec du sperme congelé.

La fécondation *in vitro*

La fécondation *in vitro* est envisagée lorsque se présente un obstacle infranchissable sur le trajet des trompes de Fallope, une oligospermie (faible quantité de spermatozoïdes dans le sperme), une asthénospermie (très faible pourcentage de spermatozoïdes mobiles), une tératospermie importante (abondance dans le sperme de spermatozoïdes de forme anormale), une endométriose sévère ou présence d'anticorps antispermatozoïdes, et que la fécondation naturelle et même l'insémination artificielle avec donneur paraissent impraticables. Cette technique est de plus en plus répandus.

La première étape comprend une hyperstimulation ovarienne et la production de trois à 10 ovocytes matures grâce à une combinaison de citrate de clomifène et de gonadotrophines extraites d'urine de femmes ménopausées. Environ 34 heures après la stimulation ovarienne, on réalise une série d'échographies qui permettent de surveiller la maturation des ovules dans les ovaires. Les ovocytes matures recouvrant la surface de l'ovaire sont récupérés par ponction directe au moyen d'une aiguille, par aspiration par le vagin sous guidage échographique, ou encore par cœlioscopie à travers la paroi abdominale.

La seconde étape consiste en la fécondation *in vitro* avec des spermatozoïdes et en la culture de l'embryon dans un milieu approprié pendant une quarantaine d'heures. Actuellement, l'injection d'un spermatozoïde à l'intérieur d'une ovule constitue une percée majeure dans le traitement de l'infertilité masculine.

La troisième étape, enfin, est celle du transfert de trois ou quatre embryons dans la cavité utérine par voie vaginale. Les embryons supplémentaires peuvent être congelés dans l'azote liquide pour un transfert ultérieur. Après la fécondation, le médecin surveille la patiente pendant quelques jours pour s'assurer que l'embryon s'est bien implanté dans la muqueuse utérine. Une fois la nidation observée, la gestation se poursuit normalement, bien que le taux d'avortements précoces reste élevé. Des naissances multiples peuvent également survenir. Malgré le transfert multiple d'embryons, on estime à 8 % ou 10 % seulement le taux moyen de grossesses menées à terme.

La santé des enfants nés par fécondation *in vitro* a été analysée de très près par plusieurs chercheurs à travers le monde. Les premiers résultats montrent une augmentation des complications périnatales telles que la prématurité et la mortalité néonatale. Cela étant lié, en grande partie, au nombre important de grossesses multiples (jumeaux, triplés, quadruplés, etc.) lors de la fécondation *in vitro*. En revanche, l'état de santé des enfants après un an de vie, est considéré comme normal pour près de 78 % des cas. Des résultats qui devraient rassurer les couples souffrant d'hypofécondité ou de stérilité.

En conclusion, la plupart des maladies graves qui frappent les Nord-Américains sont intimement liées à notre style de vie. Cela signifie qu'il nous est possible d'exercer un contrôle, par de bonnes habitudes, sur notre condition physique et notre santé. Dans ce contexte, la détection précoce des maladies, le recours à des traitements adéquats et, surtout, la prévention nous permettent d'espérer pouvoir améliorer nos chances de vie et de survie et de vivre ces années en bonne santé.

RÉFÉRENCES

1. *"The expert pannel. Report of the National Clolesterol Education Program (CNEP). Expert panel of detection, evaluation and treatment of high blood clolesterol in adults (Adult treatment Panel II)"*. J Amer Med Ass 269 : 3015-3023, 1993.

2. *"ISIS-2 (Second International Study of Infarct Survival) Collaborative study : Randomized trial of intravenous streptokinase, oral aspirin, both, or neither among 17 187 cases of suspected acute myocardial infarction : ISI-2"*. Lancet 2 : 349-360, 1988.

3. Rimm EB et coll. « *Vitamine E consumption and the risk of coronary disease in man* ». N Engl J Medicine 1993 ; 328 : 1450-1456.

4. Meydani M. « *Vitamin E* » Lancet 1995 ; 345 : 170-175.

5. Doll, R. et Peto, R. *"The Causes of Cancer : Quantitative Estimates of Avoidable Risks of Cancer in the United States Today"*. J National Cancer Institute 66 : 1196-1305, 1981.

6. Weinstein, I. *"Multistage carcinogenesis involves multiple genes and multiple mechanisms. in cancer cells : The transformed phenotype"*, Cold Spring Harbor Laboratory Press, 1984: pp 229-237.

7. Statistiques canadiennes sur le cancer, Institut National du Cancer du Canada, Statistique Canada, Registres provinciaux des tumeurs et Santé Canada, 1997.

8. Mandel, J. et coll. *"Reducing mortality from colorectal cancer by screening for fecal occult blood"*. N. Engl. J medicine 388 : 1365-1371, 1993.

9. Un guide d'aide durant le traitement. Publication de la Société canadienne du cancer. Bien manger pour mieux vivre : un guide sur l'importance d'une saine alimentation dans le traitement du cancer. Publication de la Fondation québécoise du cancer.

10. Patenaude, R. Les maladies malignes du sang. Éditions Québec-Amérique, Collection Santé, 1994.

11. Gormley, G.J. *"Chemoprevention for prostate cancers : the role of cinq alpha-reductase inhibitors"*. J Cellular Biochemistry – Supplement 16H : 113-117, 1992.

12. Kordon, C. « Le langage des cellules », Hachette, 1991.

13. Robert, J.-M. « Le cerveau », Flammarion, 1994.

14. Redwine, D.B. *"Laparoscopie en bloc resection for treatment of the obliterated cul-de-sac in endometriosis"*. J Reproductive Medicine 37 : 695-698, 1992.

15. Steinberg, K.K. et coll. *"A Meta-analysis of the effect of estrogen replacement therapy on the risk of breast cancer"*. J Amer Medical Ass 265 : 1985-1990, 1991.